Classiques & Cie Lycée

Marivaux

L'Île des esclaves (1725)

La Colonie (1750)

suivi d'une anthologie
sur les utopies

Texte intégral suivi d'un dossier critique
pour la préparation du bac français

Collection dirigée par
Johan Faerber

Édition annotée et commentée par
Laurence Rauline
agrégée de lettres modernes
docteur en littérature française de l'âge classique

Hatier

L'Île des esclaves

La Colonie

Anthologie sur les utopies

© Hatier Paris 2014 – ISBN 978-2-218-97847-0

Conception graphique de la maquette : c-album, Jean-Baptiste Taisne, Rachel Pfleger (texte) ; Lauriane
Tiberghien (dossier) • Mise en pages : Chesteroc Ltd • Suivi éditorial : Claire Dupuis • Correction : Danièle Bouilly

L'ÎLE DES ESCLAVES

comédie en un acte et en prose
représentée pour la première fois
par les Comédiens-Italiens
le lundi 5 mars 1725

Acteurs[1]

IPHICRATE[2].
ARLEQUIN.
EUPHROSINE[3].
CLÉANTHIS.
TRIVELIN.
DES HABITANTS DE L'ÎLE.

La scène est dans l'île des Esclaves.
Le théâtre représente une mer et des rochers d'un côté,
et de l'autre quelques arbres et des maisons.

---

1. Acteurs : personnages.
2. Le nom d'**Iphicrate** signifie, en grec, « qui gouverne par la force ».
3. Le nom d'**Euphrosine** signifie, en grec, « pleine de joie ».

Scène 1

IPHICRATE *s'avance tristement sur le théâtre*[1] *avec* ARLEQUIN.

IPHICRATE, *après avoir soupiré*. — Arlequin ?

ARLEQUIN, *avec une bouteille de vin qu'il a à sa ceinture*. — Mon patron.

IPHICRATE. — Que deviendrons-nous dans cette île ?

5 ARLEQUIN. — Nous deviendrons maigres, étiques[2], et puis morts de faim : voilà mon sentiment et notre histoire.

IPHICRATE. — Nous sommes seuls échappés du naufrage ; tous nos camarades ont péri, et j'envie maintenant leur sort.

ARLEQUIN. — Hélas ! ils sont noyés dans la mer, et nous avons
10 la même commodité[3].

IPHICRATE. — Dis-moi ; quand notre vaisseau s'est brisé contre le rocher, quelques-uns des nôtres ont eu le temps de se jeter dans la chaloupe[4] ; il est vrai que les vagues l'ont enveloppée, je ne sais ce qu'elle est devenue ; mais peut-être
15 auront-ils eu le bonheur d'aborder en quelque endroit de l'île, et je suis d'avis que nous les cherchions.

ARLEQUIN. — Cherchons, il n'y a pas de mal à cela ; mais reposons-nous auparavant pour boire un petit coup d'eau-de-vie :

---

1. **Théâtre** : scène.
2. **Étiques** : très maigres.
3. **Commodité** : possibilité, risque.
4. **Chaloupe** : petit bateau de secours, que l'on peut utiliser sur les grands navires, en cas de naufrage.

j'ai sauvé ma pauvre bouteille, la voilà ; j'en boirai les deux
20 tiers, comme de raison, et puis je vous donnerai le reste.

IPHICRATE. – Eh, ne perdons point de temps, suis-moi, ne
négligeons rien pour nous tirer d'ici[1] ; si je ne me sauve, je
suis perdu, je ne reverrai jamais Athènes, car nous sommes
dans l'île des Esclaves.

25 ARLEQUIN. – Oh, oh ! qu'est-ce que c'est que cette race-là ?

IPHICRATE. – Ce sont des esclaves de la Grèce révoltés contre
leurs maîtres, et qui depuis cent ans sont venus s'établir
dans une île, et je crois que c'est ici : tiens, voici sans doute
quelques-unes de leurs cases[2] ; et leur coutume, mon cher
30 Arlequin, est de tuer tous les maîtres qu'ils rencontrent, ou
de les jeter dans l'esclavage.

ARLEQUIN. – Eh ! Chaque pays a sa coutume : ils tuent les
maîtres, à la bonne heure, je l'ai entendu dire aussi ; mais
on dit qu'ils ne font rien aux esclaves comme moi.

35 IPHICRATE. – Cela est vrai.

ARLEQUIN. – Eh ! encore vit-on.

IPHICRATE. – Mais je suis en danger de perdre la liberté, et
peut-être la vie ; Arlequin, cela ne suffit-il pas pour me
plaindre ?

40 ARLEQUIN, *prenant sa bouteille pour boire*. – Ah ! Je vous plains
de tout mon cœur, cela est juste.

IPHICRATE. – Suis-moi donc ?

ARLEQUIN *siffle*. – Hu, hu, hu.

IPHICRATE. – Comment donc, que veux-tu dire ?

45 ARLEQUIN, *distrait*, *chante*. – Tala ta lara.

---

1. Nous tirer d'ici : quitter ce lieu (sens non familier).
2. Cases : habitations africaines traditionnelles ; habitations attribuées aux esclaves.

IPHICRATE : Parle donc, as-tu perdu l'esprit, à quoi penses-tu ?

ARLEQUIN, *riant*. — Ah, ah, ah, monsieur Iphicrate, la drôle d'aventure ; je vous plains, par ma foi, mais je ne saurais[1] m'empêcher d'en rire.

50 IPHICRATE, *à part les premiers mots*. — Le coquin[2] abuse de ma situation, j'ai mal fait de lui dire où nous sommes. Arlequin, ta gaieté ne vient pas à propos, marchons de ce côté.

ARLEQUIN. — J'ai les jambes si engourdies.

IPHICRATE. — Avançons, je t'en prie.

55 ARLEQUIN. — Je t'en prie, je t'en prie ; comme vous êtes civil[3] et poli ; c'est l'air du pays qui fait cela.

IPHICRATE. — Allons, hâtons-nous, faisons seulement une demi-lieue[4] sur la côte pour chercher notre chaloupe, que nous trouverons peut-être avec une partie de nos gens ; et

60 en ce cas-là, nous nous rembarquerons avec eux.

ARLEQUIN, *en badinant*[5]. — Badin, comme vous tournez cela. *(Il chante.)*

> L'embarquement est divin,
> Quand on vogue, vogue, vogue ;
65 > L'embarquement est divin
> Quand on vogue avec Catin[6].

IPHICRATE, *retenant sa colère*. — Mais je ne te comprends point, mon cher Arlequin.

---

1. Je ne saurais : je ne pourrais.
2. **Coquin** : personnage de basse condition et peu respectable. Ici : valet insolent.
3. **Civil** : bien élevé, d'agréable compagnie.
4. **Une demi-lieue** : environ 2 km. (La lieue est une ancienne unité de longueur.)
5. **Badinant** : plaisantant.
6. **Catin** : abréviation familière de Catherine. « Une catin » désigne une femme de petite vertu.

ARLEQUIN. – Mon cher patron, vos compliments me char-
ment ; vous avez coutume de m'en faire à coups de gourdin[1]
qui ne valent pas ceux-là, et le gourdin est dans la chaloupe.

IPHICRATE. – Eh ne sais-tu pas que je t'aime ?

ARLEQUIN. – Oui ; mais les marques de votre amitié tombent
toujours sur mes épaules, et cela est mal placé. Ainsi tenez,
pour ce qui est de nos gens, que le Ciel les bénisse ; s'ils sont
morts, en voilà pour longtemps ; s'ils sont en vie, cela se
passera, et je m'en goberge[2].

IPHICRATE, *un peu ému*. – Mais j'ai besoin d'eux, moi.

ARLEQUIN, *indifféremment*. – Oh, cela se peut bien, chacun a
ses affaires ; que je ne vous dérange pas.

IPHICRATE. – Esclave insolent !

ARLEQUIN, *riant*. – Ah ah, vous parlez la langue d'Athènes,
mauvais jargon[3] que je n'entends[4] plus.

IPHICRATE. – Méconnais-tu ton maître, et n'es-tu plus mon
esclave ?

ARLEQUIN, *se reculant d'un air sérieux*. – Je l'ai été, je le confesse
à ta honte ; mais va, je te le pardonne : les hommes ne valent
rien. Dans le pays d'Athènes j'étais ton esclave, tu me traitais
comme un pauvre animal, et tu disais que cela était juste, et
parce que tu étais le plus fort : Eh bien, Iphicrate, tu vas
trouver ici plus fort que toi ; on va te faire esclave à ton tour ;
on te dira aussi que cela est juste, et nous verrons ce que tu
penseras de cette justice-là, tu m'en diras ton sentiment, je
t'attends là. Quand tu auras souffert, tu seras plus raisonnable,

---

1. **Gourdin** : gros bâton.
2. **Je m'en goberge** : je m'en moque.
3. **Jargon** : langage incompréhensible.
4. **Je n'entends** : je ne comprends.

95 tu sauras mieux ce qu'il est permis de faire souffrir aux autres. Tout en irait mieux dans le monde, si ceux qui te ressemblent recevaient la même leçon que toi. Adieu, mon ami, je vais trouver mes camarades et tes maîtres.

Il s'éloigne.

100 IPHICRATE, *au désespoir, courant après lui l'épée à la main.* — Juste Ciel ! Peut-on être plus malheureux et plus outragé[1] que je le suis ? Misérable, tu ne mérites pas de vivre.

ARLEQUIN. — Doucement ; tes forces sont bien diminuées, car je ne t'obéis plus, prends-y garde.

Scène 2

TRIVELIN *avec cinq ou six insulaires*[2] *arrive conduisant une Dame et la suivante, et ils accourent à* IPHICRATE *qu'ils voient l'épée à la main.*

105 TRIVELIN, *faisant saisir et désarmer Iphicrate par ses gens.* — Arrêtez, que voulez-vous faire ?

IPHICRATE. — Punir l'insolence de mon esclave.

TRIVELIN. — Votre esclave ? vous vous trompez, et l'on vous apprendra à corriger vos termes. *(Il prend l'épée d'Iphicrate et*
110 *la donne à Arlequin.)* Prenez cette épée, mon camarade, elle est à vous.

ARLEQUIN. — Que le Ciel vous tienne gaillard[3], brave camarade que vous êtes.

---

1. Outragé : blessé, humilié.
2. Insulaires : habitants de l'île.
3. Gaillard : en bonne santé, vigoureux.

TRIVELIN. – Comment vous appelez-vous ?

115 ARLEQUIN. – Est-ce mon nom que vous demandez ?

TRIVELIN. – Oui vraiment.

ARLEQUIN. – Je n'en ai point, mon camarade.

TRIVELIN. – Quoi donc, vous n'en avez pas ?

ARLEQUIN. – Non, mon camarade, je n'ai que des sobriquets[1]
120 qu'il m'a donnés ; il m'appelle quelquefois Arlequin, quelquefois Hé.

TRIVELIN. – Hé, le terme est sans façon[2] ; je reconnais ces
messieurs à de pareilles licences[3] ; et lui comment s'ap-
pelle-t-il ?

125 ARLEQUIN. – Oh diantre[4], il s'appelle par un nom lui ; c'est le
seigneur Iphicrate.

TRIVELIN. – Eh bien, changez de nom à présent ; soyez le
seigneur Iphicrate à votre tour ; et vous, Iphicrate, appelez-
vous Arlequin, ou bien Hé.

130 ARLEQUIN, *sautant de joie, à son maître.* – Oh, oh, que nous allons
rire ! seigneur Hé.

TRIVELIN, *à Arlequin.* – Souvenez-vous en prenant son nom,
mon cher ami, qu'on vous le donne bien moins pour réjouir
votre vanité, que pour le corriger de son orgueil.

135 ARLEQUIN. – Oui, oui, corrigeons, corrigeons.

IPHICRATE, *regardant Arlequin.* – Maraud[5] !

ARLEQUIN. – Parlez donc, mon bon ami, voilà encore une
licence qui lui prend ; cela est-il du jeu ?

---

1. Sobriquets : surnoms familiers et moqueurs.
2. Sans façon : sans cérémonie, impoli, brutal.
3. Licences : libertés excessives, contraires aux convenances.
4. Diantre : juron, altération de « diable ».
5. Maraud : scélérat (terme injurieux).

TRIVELIN, *à Arlequin.* – Dans ce moment-ci, il peut vous dire
140 tout ce qu'il voudra. *(À Iphicrate.)* Arlequin, votre aventure
vous afflige, et vous êtes outré[1] contre Iphicrate et contre nous.
Ne vous gênez point, soulagez-vous par l'emportement le plus
vif ; traitez-le de misérable et nous aussi, tout vous est permis
à présent : mais ce moment-ci passé, n'oubliez pas que vous êtes
145 Arlequin, que voici Iphicrate, et que vous êtes auprès de lui
ce qu'il était auprès de vous : ce sont là nos lois, et ma charge[2]
dans la République est de les faire observer[3] en ce canton[4]-ci.

ARLEQUIN. – Ah, la belle charge !

IPHICRATE. – Moi, l'esclave de ce misérable !

150 TRIVELIN. – Il a bien été le vôtre.

ARLEQUIN. – Hélas ! il n'a qu'à être bien obéissant, j'aurai
mille bontés pour lui.

IPHICRATE. – Vous me donnez la liberté de lui dire ce qu'il me
plaira, ce n'est pas assez ; qu'on m'accorde encore un bâton.

155 ARLEQUIN. – Camarade, il demande à parler à mon dos, et je
le mets sous la protection de la République, au moins.

TRIVELIN. – Ne craignez rien.

CLÉANTHIS, *à Trivelin.* – Monsieur, je suis esclave aussi, moi,
et du même vaisseau ; ne m'oubliez pas, s'il vous plaît.

160 TRIVELIN. – Non, ma belle enfant ; j'ai bien connu votre
condition[5] à votre habit, et j'allais vous parler de ce qui
vous regarde, quand je l'ai vu l'épée à la main : laissez-moi
achever ce que j'avais à dire. Arlequin ?

---

1. Outré : en colère.
2. Charge : mission.
3. Observer : respecter.
4. Canton : région, île (en contexte).
5. Condition : condition sociale.

ARLEQUIN, *croyant qu'on l'appelle.* – Eh… À propos, je m'appelle Iphicrate.

TRIVELIN, *continuant.* – Tâchez de vous calmer, vous savez qui
nous sommes, sans doute.

ARLEQUIN. – Oh morbleu[1], d'aimables gens.

CLÉANTHIS. – Et raisonnables.

TRIVELIN. – Ne m'interrompez point, mes enfants. Je pense
donc que vous savez qui nous sommes. Quand nos pères
irrités de la cruauté de leurs maîtres quittèrent la Grèce et
vinrent s'établir ici, dans le ressentiment[2] des outrages[3]
qu'ils avaient reçus de leurs patrons, la première loi qu'ils y
firent fut d'ôter la vie à tous les maîtres que le hasard ou le
naufrage conduirait dans leur île, et conséquemment[4] de
rendre la liberté à tous les esclaves : la vengeance avait dicté
cette loi ; vingt ans après la raison l'abolit et en dicta une
plus douce. Nous ne nous vengeons plus de vous, nous vous
corrigeons ; ce n'est plus votre vie que nous poursuivons,
c'est la barbarie de vos cœurs que nous voulons détruire ;
nous vous jetons dans l'esclavage, pour vous rendre sensibles
aux maux qu'on y éprouve ; nous vous humilions, afin que
nous trouvant superbes[5], vous vous reprochiez de l'avoir été.
Votre esclavage, ou plutôt votre cours d'humanité dure
trois ans, au bout desquels on vous renvoie, si vos maîtres
sont contents de vos progrès : et si vous ne devenez pas meilleurs, nous vous retenons par charité pour les nouveaux

---

1. **Morbleu** : juron, altération de « mort de Dieu ».
2. **Ressentiment** : rancune.
3. **Outrages** : blessures, humiliations.
4. **Conséquemment** : en conséquence.
5. **Superbes** : orgueilleux.

190 malheureux que vous iriez faire encore ailleurs ; et par bonté pour vous, nous vous marions avec une de nos citoyennes. Ce sont là nos lois à cet égard, mettez à profit leur rigueur salutaire. Remerciez le sort qui vous conduit ici ; il vous remet en nos mains, durs, injustes et superbes. Vous voilà en mauvais état, nous entreprenons de vous guérir ; vous
195 êtes moins nos esclaves que nos malades, et nous ne prenons que trois ans pour vous rendre sains [1], c'est-à-dire humains, raisonnables, et généreux pour toute votre vie.

ARLEQUIN. – Et le tout *gratis*, sans purgation ni saignée [2]. Peut-on de la santé [3] à meilleur compte ?

200 TRIVELIN. – Au reste, ne cherchez point à vous sauver de ces lieux, vous le tenteriez sans succès, et vous feriez votre fortune [4] plus mauvaise : commencez votre nouveau régime de vie [5] par la patience.

ARLEQUIN. – Dès que [6] c'est pour son bien, qu'y a-t-il à dire ?

205 TRIVELIN, *aux esclaves*. – Quant à vous, mes enfants, qui devenez libres et citoyens, Iphicrate habitera cette case avec le nouvel Arlequin, et cette belle fille demeurera dans l'autre : vous aurez soin de changer d'habit ensemble ; c'est l'ordre. *(À Arlequin.)* Passez maintenant dans une maison qui est à côté, où l'on vous
210 donnera à manger, si vous en avez besoin. Je vous apprends au reste [7] que vous avez huit jours à vous réjouir du changement de votre état ; après quoi l'on vous donnera, comme à

---

1. Sains : en bonne santé, plus disposés au respect.

2. Purgation, saignée : remèdes habituels de la médecine de l'Ancien Régime.

3. Peut-on de la santé : peut-on se guérir.

4. Fortune : sort, situation.

5. Régime de vie : façon de vivre.

6. Dès que : dès lors que.

7. Au reste : par ailleurs.

tout le monde, une occupation convenable. Allez, je vous
attends ici. *(Aux insulaires.)* Qu'on les conduise. *(Aux femmes.)*
215 Et vous autres, restez.

Arlequin en s'en allant fait de grandes révérences à Cléanthis.

Scène 3

TRIVELIN, CLÉANTHIS *esclave*, EUPHROSINE *sa maîtresse.*

TRIVELIN. – Ah ça, ma compatriote ; car je regarde désormais
notre île comme votre patrie ; dites-moi aussi votre nom ?

CLÉANTHIS, *saluant*. – Je m'appelle Cléanthis, et elle Euphrosine.

220 TRIVELIN. – Cléanthis ; passe pour cela[1].

CLÉANTHIS. – J'ai aussi des surnoms ; vous plaît-il de les savoir ?

TRIVELIN. – Oui-da[2]. Et quels sont-ils ?

CLÉANTHIS. – J'en ai une liste : Sotte, Ridicule, Bête, Butorde[3],
Imbécile, *et cætera.*

225 EUPHROSINE, *en soupirant*. – Impertinente que vous êtes !

CLÉANTHIS. – Tenez, tenez, en voilà encore un que j'oubliais.

TRIVELIN. – Effectivement, elle vous prend sur le fait. Dans
votre pays. Euphrosine, on a bientôt dit[4] des injures à ceux
à qui l'on en peut dire impunément[5].

230 EUPHROSINE. – Hélas ! que voulez-vous que je lui réponde,
dans l'étrange aventure où je me trouve ?

---

1. Passe pour cela : d'accord, soit.
2. Oui-da : oui (avec un effet d'insistance).
3. Butorde : femme grossière (féminin de « butor »).
4. On a bientôt dit : on a vite fait de dire.
5. Impunément : sans être puni.

CLÉANTHIS. — Oh dame[1], il n'est plus si aisé de me répondre. Autrefois il n'y avait rien de si commode ; on n'avait affaire qu'à de pauvres gens : fallait-il tant de cérémonies ? Faites cela, je le veux ; taisez-vous, sotte ! voilà qui était fini. Mais à présent il faut parler raison : c'est un langage étranger pour Madame, elle l'apprendra avec le temps ; il faut se donner patience : je ferai de mon mieux pour l'avancer[2].

TRIVELIN, *à Cléanthis.* — Modérez-vous, Euphrosine. (*À Euphrosine.*) Et vous, Cléanthis, ne vous abandonnez point à votre douleur. Je ne puis changer nos lois, ni vous en affranchir[3] : je vous ai montré combien elles étaient louables et salutaires pour vous.

CLÉANTHIS. — Hum. Elle me trompera bien si elle amende[4].

TRIVELIN. — Mais comme vous êtes d'un sexe[5] naturellement assez faible, et que par là vous avez dû céder plus facilement qu'un homme aux exemples de hauteur[6], de mépris et de dureté qu'on vous a donnés chez vous contre leurs pareils ; tout ce que je puis faire pour vous, c'est de prier Euphrosine de peser avec bonté les torts que vous avez avec elle, afin de les peser avec justice.

CLÉANTHIS. — Oh tenez, tout cela est trop savant pour moi, je n'y comprends rien ; j'irai le grand chemin[7], je pèserai comme elle pesait ; ce qui viendra, nous le prendrons.

TRIVELIN. — Doucement, point de vengeance.

---

1. Oh dame : en effet, pardi.

2. L'avancer : la faire progresser.

3. Affranchir : libérer, dispenser.

4. Amende : se corrige.

5. Comme vous êtes d'un sexe : comme vous êtes une femme, appartenant au sexe supposé « faible ».

6. Hauteur : orgueil.

7. J'irai le grand chemin : j'irai vite.

255 CLÉANTHIS. – Mais, notre bon ami, au bout du compte, vous parlez de son sexe[1] ; elle a le défaut d'être faible, je lui en offre autant ; je n'ai pas la vertu d'être forte. S'il faut que j'excuse toutes ses mauvaises manières à mon égard, il faudra donc qu'elle excuse aussi la rancune que j'en ai contre elle ; car je

260 suis femme autant qu'elle, moi : voyons qui est-ce qui décidera. Ne suis-je pas la maîtresse, une fois ? Eh bien, qu'elle commence toujours par excuser ma rancune ; et puis, moi, je lui pardonnerai quand je pourrai ce qu'elle m'a fait : qu'elle attende.

265 EUPHROSINE, *à Trivelin*. – Quels discours ! Faut-il que vous m'exposiez à les entendre !

CLÉANTHIS. – Souffrez[2]-les, Madame ; c'est le fruit de vos œuvres.

TRIVELIN. – Allons, Euphrosine, modérez-vous.

270 CLÉANTHIS. – Que voulez-vous que je vous dise : quand on a de la colère, il n'y a rien de tel pour la passer que de la contenter un peu, voyez-vous ; quand je l'aurai querellée à mon aise une douzaine de fois seulement, elle en sera quitte[3] ; mais il me faut cela.

275 TRIVELIN, *à part à Euphrosine*. – Il faut que ceci ait son cours ; mais consolez-vous, cela finira plus tôt que vous ne pensez. *(À Cléanthis.)* J'espère, Euphrosine, que vous perdrez votre ressentiment, et je vous y exhorte en ami. Venons maintenant à l'examen de son caractère : il est nécessaire que vous

280 m'en donniez un portrait qui se doit faire devant la personne qu'on peint, afin qu'elle se connaisse, qu'elle rougisse de ses

---

1. Vous parlez de son sexe : vous parlez du fait que c'est une femme.
2. Souffrez : supportez.
3. Elle en sera quitte : elle sera libre, elle s'en tirera sans plus d'inconvénients.

ridicules, si elle en a, et qu'elle se corrige. Nous avons là de bonnes intentions, comme vous voyez. Allons commençons.

CLÉANTHIS. – Oh que cela est bien inventé! Allons, me voilà
285   prête; interrogez-moi, je suis dans mon fort[1].

EUPHROSINE, *doucement*. – Je vous prie, Monsieur, que je me retire, et que je n'entende point ce qu'elle va dire.

TRIVELIN. – Hélas! ma chère dame, cela n'est fait que pour vous; il faut que vous soyez présente.

290   CLÉANTHIS. – Restez, restez, un peu de honte est bientôt[2] passé.

TRIVELIN. – Vaine[3], minaudière[4] et coquette, voilà d'abord à peu près sur quoi je vais vous interroger au hasard. Cela la regarde-t-il[5]?

CLÉANTHIS. – Vaine, minaudière et coquette, si cela la regarde?
295   Eh voilà ma chère maîtresse! cela lui ressemble comme son visage.

EUPHROSINE. – N'en voilà-t-il pas assez, Monsieur?

TRIVELIN. – Ah, je vous félicite du petit embarras que cela vous donne; vous sentez, c'est bon signe, et j'en augure
300   bien pour l'avenir: mais ce ne sont encore là que les grands traits; détaillons un peu cela. En quoi donc, par exemple, lui trouvez-vous les défauts dont nous parlons?

CLÉANTHIS. – En quoi? partout, à toute heure, en tous lieux; je vous ai dit de m'interroger; mais par où commencer,
305   je n'en sais rien, je m'y perds; il y a tant de choses, j'en ai tant vu, tant remarqué de toutes les espèces, que cela me

---

1. **Je suis dans mon fort**: c'est mon point fort, je suis sûre de moi.
2. **Bientôt**: vite.
3. **Vaine**: prétentieuse.
4. **Minaudière**: femme qui minaude, qui fait des manières.
5. **Cela la regarde-t-il?**: cela la concerne-t-il?

brouille[1]. Madame se tait, Madame parle ; elle regarde, elle est triste, elle est gaie : silence, discours, regards, tristesse et joie : c'est tout un, il n'y a que la couleur de différente ;
310   c'est vanité muette, contente ou fâchée ; c'est coquetterie babillarde[2], jalouse ou curieuse ; c'est Madame, toujours vaine ou coquette l'un après l'autre, ou tous les deux à la fois : voilà ce que c'est, voilà par où je débute, rien que cela.

EUPHROSINE. – Je n'y saurais tenir[3].

315   TRIVELIN. – Attendez donc, ce n'est qu'un début.

CLÉANTHIS. – Madame se lève, a-t-elle bien dormi, le sommeil l'a-t-il rendue belle, se sent-elle du vif, du sémillant[4] dans les yeux ? vite sur les armes, la journée sera glorieuse : qu'on m'habille ; Madame verra du monde aujourd'hui ; elle ira
320   aux spectacles, aux promenades, aux assemblées ; son visage peut se manifester, peut soutenir le grand jour[5], il fera plaisir à voir, il n'y a qu'à le promener hardiment, il est en état, il n'y a rien à craindre.

TRIVELIN, à Euphrosine. – Elle développe assez bien cela.

325   CLÉANTHIS. – Madame, au contraire, a-t-elle mal reposé : Ah ! qu'on m'apporte un miroir ? comme me voilà faite ! que je suis mal bâtie[6] ! Cependant on se mire[7], on éprouve son visage de toutes les façons, rien ne réussit ; des yeux battus, un teint fatigué ; voilà qui est fini, il faut envelopper ce
330   visage-là, nous n'aurons que du négligé, Madame ne verra

---

1. **Brouille** : perturbe.
2. **Babillarde** : bavarde.
3. **Je n'y saurais tenir** : je ne vais pas pouvoir le supporter.
4. **Sémillant** : vif, joyeux.
5. **Peut soutenir le grand jour** : peut supporter la lumière du jour.
6. **Mal bâtie** : mal faite, sans beauté.
7. **On se mire** : on s'admire.

personne aujourd'hui, pas même le jour, si elle peut, du moins fera-t-il sombre dans la chambre. Cependant il vient compagnie[1], on entre : que va-t-on penser du visage de Madame ? On croira qu'elle enlaidit : donnera-t-elle ce plaisir-là à ses bonnes amies ? non, il y a remède à tout : vous allez voir. Comment vous portez-vous, Madame ? Très mal, Madame : j'ai perdu le sommeil ; il y a huit jours que je n'ai fermé l'œil ; je n'ose pas me montrer, je fais peur. Et cela veut dire : Messieurs, figurez-vous que ce n'est point moi, au moins ; ne me regardez pas ; remettez à me voir[2] ; ne me jugez pas aujourd'hui ; attendez que j'aie dormi. J'entendais tout cela, moi ; car nous autres esclaves, nous sommes doués contre nos maîtres d'une pénétration[3]… Oh ! ce sont de pauvres gens pour nous.

335

340

TRIVELIN, *à Euphrosine.* – Courage, Madame ; profitez de cette peinture-là, car elle me paraît fidèle.

345

EUPHROSINE. – Je ne sais où j'en suis.

CLÉANTHIS. – Vous en êtes aux deux tiers, et j'achèverai, pourvu que cela ne vous ennuie pas.

TRIVELIN. – Achevez, achevez ; Madame soutiendra[4] bien le reste.

350

CLÉANTHIS. – Vous souvenez-vous d'un soir où vous étiez avec ce cavalier si bien fait ? J'étais dans la chambre : vous vous entreteniez bas[5] ; mais j'ai l'oreille fine : vous vouliez lui plaire sans faire semblant de rien ; vous parliez d'une femme qu'il voyait souvent. Cette femme-là est aimable,

355

---

1. Il vient compagnie : un visiteur arrive.

2. Remettez à me voir : remettez à plus tard de me voir.

3. Pénétration : sagacité, capacité à comprendre.

4. Soutiendra : supportera.

5. Vous vous entreteniez bas : vous discutiez à voix basse.

disiez-vous ; elle a les yeux petits, mais très doux : et là-dessus vous ouvriez les vôtres, vous vous donniez des tons, des gestes de tête, de petites contorsions, des vivacités. Je riais. Vous réussîtes pourtant, le cavalier s'y prit[1] ; il vous offrit son cœur. À moi ? lui dites-vous. Oui, Madame, à vous-même ; à tout ce qu'il y a de plus aimable au monde. Continuez, folâtre[2], continuez, dites-vous, en ôtant vos gants sous prétexte de m'en demander d'autres : mais vous avez la main belle, il la vit, il la prit, il la baisa, cela anima sa déclaration ; et c'était là les gants que vous demandiez. Eh bien, y suis-je ?

TRIVELIN, *à Euphrosine*. — En vérité, elle a raison.

CLÉANTHIS. — Écoutez, écoutez, voici le plus plaisant. Un jour qu'elle pouvait m'entendre, et qu'elle croyait que je ne m'en doutais pas, je parlais d'elle, et je dis : Oh pour cela, il faut l'avouer, Madame est une des plus belles femmes du monde. Que de bontés pendant huit jours, ce petit mot-là ne me valut-il pas ? J'essayai en pareille occasion de dire que Madame était une femme très raisonnable : oh je n'eus rien, cela ne prit point[3] ; et c'était bien fait, car je la flattais.

EUPHROSINE. — Monsieur, je ne resterai point, ou l'on me fera rester par force ; je ne puis en souffrir[4] davantage.

TRIVELIN. — En voilà donc assez pour à présent.

CLÉANTHIS. — J'allais parler des vapeurs de mignardise[5] auxquelles Madame est sujette à la moindre odeur. Elle ne

---

1. **S'y prit** : fut séduit.
2. **Folâtre** : galant.
3. **Cela ne prit point** : cela n'eut aucun effet.
4. **Souffrir** : supporter.
5. **Vapeurs de mignardise** : évanouissements feints, simulés, qui révèlent le manque de naturel d'Euphrosine.

sait pas qu'un jour, je mis à son insu des fleurs dans la ruelle[1] de son lit pour voir ce qu'il en serait. J'attendais une vapeur, elle est encore à venir. Le lendemain en compagnie une rose parut, crac, la vapeur arrive.

385 TRIVELIN. – Cela suffit, Euphrosine, promenez-vous un moment à quelques pas de nous, parce que j'ai quelque chose à lui dire ; elle ira vous rejoindre ensuite.

CLÉANTHIS, s'en allant. – Recommandez-lui d'être docile, au moins. Adieu, notre bon ami, je vous ai diverti, j'en suis 390 bien aise[2] ; une autre fois je vous dirai comme quoi Madame s'abstient souvent de mettre de beaux habits, pour en mettre un négligé qui lui marque tendrement[3] la taille. C'est encore une finesse[4] que cet habit-là ; on dirait qu'une femme qui le met ne se soucie pas de paraître : mais 395 à d'autres ; on s'y ramasse dans un corset appétissant[5], on y montre sa bonne façon naturelle ; on y dit aux gens : Regardez mes grâces, elles sont à moi celles-là ; et d'un autre côté on veut leur dire aussi : Voyez comme je m'habille, quelle simplicité, il n'y a point de coquetterie dans 400 mon fait[6].

TRIVELIN. – Mais je vous ai priée de nous laisser.

CLÉANTHIS. – Je sors, et tantôt nous reprendrons le discours qui sera fort divertissant ; car vous verrez aussi comme quoi Madame entre dans une loge au spectacle, avec quelle

---

1. Ruelle : espace libre entre le lit et le mur, où les invités étaient parfois reçus par les dames de la bonne société.
2. J'en suis bien aise : j'en suis heureuse, satisfaite.
3. Tendrement : avec douceur, légèrement.
4. Finesse : ruse.
5. Appétissant : séduisant.
6. Fait : manière de faire, d'agir.

405 emphase[1], avec quel air imposant, quoique d'un air distrait et
sans y penser ; car c'est la belle éducation qui donne cet orgueil-
là. Vous verrez comme dans la loge on y jette un regard indif-
férent et dédaigneux[2] sur des femmes qui sont à côté, et qu'on
ne connaît pas. Bonjour, notre bon ami, je vais à notre auberge.

Scène 4

TRIVELIN, EUPHROSINE

410 TRIVELIN. – Cette scène-ci vous a un peu fatiguée, mais cela
ne vous nuira pas.

EUPHROSINE. – Vous êtes des barbares.

TRIVELIN. – Nous sommes d'honnêtes gens[3] qui vous instrui-
sons ; voilà tout : il vous reste encore à satisfaire à une petite
415 formalité.

EUPHROSINE. – Encore des formalités !

TRIVELIN. – Celle-ci est moins que rien ; je dois faire rapport
de tout ce que je viens d'entendre, et de tout ce que vous
m'allez répondre. Convenez-vous de[4] tous les sentiments
420 coquets, de toutes les singeries[5] d'amour-propre qu'elle
vient de vous attribuer ?

EUPHROSINE. – Moi, j'en conviendrais ! Quoi, de pareilles
faussetés sont-elles croyables ?

---

1. Emphase : attitude prétentieuse, exagérément maniérée.
2. Dédaigneux : méprisant.
3. Honnêtes gens : gens de bonne compagnie, à la fois cultivés et agréables.
4. Convenez-vous de : reconnaissez-vous, avouez-vous.
5. Singeries : attitudes peu naturelles et exagérées.

TRIVELIN. – Oh très croyables, prenez-y garde. Si vous en convenez, cela contribuera à rendre votre condition[1] meilleure : je ne vous en dis pas davantage. On espérera que vous étant reconnue, vous abjurerez[2] un jour toutes ces folies qui font qu'on n'aime que soi, et qui ont distrait[3] votre bon cœur d'une infinité d'attentions plus louables. Si au contraire vous ne convenez pas de ce qu'elle a dit, on vous regardera comme incorrigible, et cela reculera[4] votre délivrance. Voyez, consultez-vous[5].

EUPHROSINE. – Ma délivrance ! Eh puis-je l'espérer ?

TRIVELIN. – Oui, je vous la garantis aux conditions que je vous dis.

EUPHROSINE. – Bientôt ?

TRIVELIN. – Sans doute.

EUPHROSINE. – Monsieur, faites donc comme si j'étais convenue de tout.

TRIVELIN. – Quoi, vous me conseillez de mentir ?

EUPHROSINE. – En vérité, voilà d'étranges conditions, cela révolte !

TRIVELIN. – Elles humilient un peu, mais cela est fort bon. Déterminez-vous[6], une liberté très prochaine est le prix de la vérité. Allons, ne ressemblez-vous pas au portrait qu'on a fait ?

EUPHROSINE. – Mais…

TRIVELIN. – Quoi ?

---

1. Condition : sort, situation.
2. Abjurerez : renoncerez à.
3. Distrait : détourné.
4. Reculera : repoussera, retardera.
5. Consultez-vous : réfléchissez.
6. Déterminez-vous : décidez-vous.

EUPHROSINE. – Il y a du vrai, par-ci, par-là.

450 TRIVELIN. – Par-ci, par-là, n'est point notre compte. Avouez-vous tous les faits ? en a-t-elle trop dit ? n'a-t-elle dit que ce qu'il faut ? Hâtez-vous, j'ai autre chose à faire.

EUPHROSINE. – Vous faut-il une réponse si exacte ?

TRIVELIN. – Eh oui, Madame, et le tout pour votre bien.

455 EUPHROSINE. – Eh bien…

TRIVELIN. – Après ?

EUPHROSINE. – Je suis jeune…

TRIVELIN. – Je ne vous demande pas votre âge.

EUPHROSINE. – On est d'un certain rang, on aime à plaire.

460 TRIVELIN. – Et c'est ce qui fait que le portrait vous ressemble.

EUPHROSINE. – Je crois qu'oui.

TRIVELIN. – Eh voilà ce qu'il nous fallait. Vous trouvez aussi le portrait un peu risible, n'est-ce pas ?

EUPHROSINE. – Il faut bien l'avouer.

465 TRIVELIN. – À merveilles[1] : Je suis content, ma chère dame. Allez rejoindre Cléanthis ; je lui rends déjà son véritable nom, pour vous donner encore des gages[2] de ma parole. Ne vous impatientez point, montrez un peu de docilité, et le moment espéré arrivera.

470 EUPHROSINE. – Je m'en fie à vous[3].

---

1. **À merveilles** : parfait, magnifique.
2. **Gages** : garanties.
3. **Je m'en fie à vous** : je vous fais confiance.

Scène 5

ARLEQUIN, IPHICRATE,
qui ont changé d'habits, TRIVELIN

ARLEQUIN. – Tirlan, tirlan, tirlantaine, tirlanton. Gai, camarade, le vin de la République est merveilleux, j'en ai bu
bravement ma pinte[1]; car je suis si altéré[2] depuis que je
suis maître, tantôt[3] j'aurai encore soif pour pinte. Que le
475 Ciel conserve la vigne, le vigneron, la vendange et les caves
de notre admirable République!

TRIVELIN. – Bon, réjouissez-vous, mon camarade. Êtes-vous
content d'Arlequin?

ARLEQUIN. – Oui, c'est un bon enfant, j'en ferai quelque
480 chose. Il soupire parfois, et je lui ai défendu cela, sous peine
de désobéissance, et je lui ordonne de la joie. *(Il prend son
maître par la main et danse.)* Tala rara la la…

TRIVELIN. – Vous me réjouissez moi-même.

ARLEQUIN. – Oh quand je suis gai, je suis de bonne humeur.

485 TRIVELIN. – Fort bien. Je suis charmé de vous voir satisfait
d'Arlequin. Vous n'aviez pas beaucoup à vous plaindre de
lui dans son pays, apparemment?

ARLEQUIN. – Hé! Là-bas? Je lui voulais souvent un mal de
diable[4], car il était quelquefois insupportable : mais à cette
490 heure que je suis heureux, tout est payé, je lui ai donné
quittance[5].

---

1. Pinte : ancienne mesure de liquide (0,93 l).
2. Je suis si altéré : j'ai tellement soif.
3. Tantôt : tout à l'heure.
4. Un mal de diable : un mal terrible.
5. Je lui ai donné quittance : il ne me doit plus rien.

TRIVELIN. – Je vous aime de ce caractère, et vous me touchez. C'est-à-dire que vous jouirez modestement de votre bonne fortune, et que vous ne lui ferez point de peine ?

495 ARLEQUIN. – De la peine ? ah le pauvre homme ! Peut-être que je serai un petit brin insolent, à cause que je suis le maître : voilà tout.

TRIVELIN. – À cause que je suis le maître : vous avez raison.

ARLEQUIN. – Oui, car quand on est le maître, on y va tout
500 rondement sans façon[1] ; et si peu de façon mène quelquefois un honnête homme à des impertinences.

TRIVELIN. – Oh, n'importe, je vois bien que vous n'êtes point méchant.

ARLEQUIN. – Hélas ! je ne suis que mutin[2].

505 TRIVELIN, *à Iphicrate*. – Ne vous épouvantez point de ce que je vais dire. *(À Arlequin.)* Instruisez-moi d'une chose : comment se gouvernait-il[3] là-bas ; avait-il quelque défaut d'humeur, de caractère ?

ARLEQUIN, *riant*. – Ah ! mon camarade, vous avez de la
510 malice, vous demandez la comédie.

TRIVELIN. – Ce caractère-là est donc bien plaisant ?

ARLEQUIN. – Ma foi, c'est une farce.

TRIVELIN. – N'importe, nous en rirons.

ARLEQUIN, *à Iphicrate*. – Arlequin, me promets-tu d'en rire
515 aussi ?

IPHICRATE, *bas*. – Veux-tu achever de me désespérer ; que vas-tu lui dire ?

---

1. **Tout rondement sans façon** : rapidement, franchement, et sans faire de manières.
2. **Mutin** : gai, un peu insolent.
3. **Se gouvernait-il** : se comportait-il.

ARLEQUIN. – Laisse-moi faire; quand je t'aurai offensé, je te demanderai pardon après.

520 TRIVELIN. – Il ne s'agit que d'une bagatelle[1]; j'en ai demandé autant à la jeune fille que vous avez vue, sur le chapitre de sa maîtresse.

ARLEQUIN. – Eh bien, tout ce qu'elle vous a dit, c'était des folies qui faisaient pitié, des misères; gageons[2]?

525 TRIVELIN. – Cela est encore vrai.

ARLEQUIN. – Eh bien, je vous en offre autant, ce pauvre jeune garçon n'en fournira pas davantage; extravagance et misère, voilà son paquet: n'est-ce pas là de belles guenilles pour les étaler[3]? étourdi par nature, étourdi par singerie, parce
530 que les femmes les aiment comme cela; un dissipe-tout[4]; vilain[5] quand il faut être libéral[6], libéral quand il faut être vilain; bon emprunteur, mauvais payeur; honteux d'être sage, glorieux d'être fou; un petit brin moqueur des bonnes gens; un petit brin hâbleur[7]; avec tout plein de maîtresses
535 qu'il ne connaît pas: voilà mon homme. Est-ce la peine d'en tirer le portrait? *(À Iphicrate.)* Non, je n'en ferai rien, mon ami, ne crains rien.

TRIVELIN. – Cette ébauche me suffit. *(À Iphicrate.)* Vous n'avez plus maintenant qu'à certifier pour véritable ce qu'il
540 vient de dire.

---

1. **Bagatelle** : divertissement.
2. **Gageons** : parions.
3. **N'est-ce pas là de belles guenilles pour les étaler** : n'y a-t-il pas bien des raisons de vanter ses qualités (expression ironique et imagée) ?
4. **Dissipe-tout** : grand dépensier.
5. **Vilain** : avare.
6. **Libéral** : généreux.
7. **Hâbleur** : bavard et vantard.

IPHICRATE. – Moi ?

TRIVELIN. – Vous-même. La dame de tantôt[1] en a fait autant ; elle vous dira ce qui l'y a déterminée[2]. Croyez-moi, il y va du plus grand bien que vous puissiez souhaiter.

545 IPHICRATE. – Du plus grand bien ? Si cela est, il y a là quelque chose qui pourrait assez me convenir d'une certaine façon.

ARLEQUIN. – Prends tout, c'est un habit fait sur ta taille.

TRIVELIN. – Il me faut tout ou rien.

IPHICRATE. – Voulez-vous que je m'avoue un ridicule[3] ?

550 ARLEQUIN. – Qu'importe, quand on l'a été.

TRIVELIN. – N'avez-vous que cela à me dire ?

IPHICRATE. – Va donc pour la moitié, pour me tirer d'affaire.

TRIVELIN. – Va du tout.

IPHICRATE. – Soit.

555 *Arlequin rit de toute sa force.*

TRIVELIN. – Vous avez fort bien fait, vous n'y perdrez rien. Adieu, vous saurez bientôt de mes nouvelles.

Scène 6

CLÉANTHIS, IPHICRATE, ARLEQUIN, EUPHROSINE

CLÉANTHIS. – Seigneur Iphicrate, peut-on vous demander de quoi vous riez ?

560 ARLEQUIN. – Je ris de mon Arlequin qui a confessé qu'il était un ridicule.

---

1. Tantôt : tout à l'heure.
2. Déterminée : décidée.
3. Un ridicule : un personnage ridicule.

CLÉANTHIS. – Cela me surprend, car il a la mine d'un homme raisonnable. Si vous voulez voir une coquette de son propre aveu, regardez ma suivante.

565 ARLEQUIN, *la regardant.* – Malepeste[1], quand ce visage-là fait le fripon, c'est bien son métier. Mais parlons d'autres choses, ma belle damoiselle : qu'est-ce que nous ferons à cette heure que nous sommes gaillards[2] ?

CLÉANTHIS. – Eh ! mais la belle conversation !

570 ARLEQUIN. – Je crains que cela ne vous fasse bâiller, j'en bâille déjà. Si je devenais amoureux de vous, cela amuserait davantage.

CLÉANTHIS. – Eh bien, faites. Soupirez pour moi[3], poursuivez mon cœur, prenez-le si vous pouvez, je ne vous en empêche 575 pas ; c'est à vous à faire vos diligences[4], me voilà, je vous attends : mais traitons l'amour à la grande manière ; puisque nous sommes devenus maîtres, allons-y poliment, et comme le grand monde[5].

ARLEQUIN. – Oui-da[6], nous n'en irons que meilleur train[7].

580 CLÉANTHIS. – Je suis d'avis d'une chose ; que nous disions qu'on nous apporte des sièges pour prendre l'air assis[8], et pour écouter les discours galants que vous m'allez tenir : il faut bien jouir de notre état, en goûter le plaisir.

---

1. Malepeste : malédiction.
2. Gaillards : pleins de gaieté.
3. Soupirez pour moi : faites-moi la cour, tentez de me séduire.
4. Diligences : avances.
5. Le grand monde : les gens de la bonne société, les maîtres.
6. Oui-da : oui (avec un effet d'insistance).
7. Meilleur train : plus vite.
8. Assis : installés sur un siège, mais aussi installés dans la vie, dotés d'une bonne situation.

ARLEQUIN. – Votre volonté vaut une ordonnance[1]. *(À Iphicrate.)*
585   Arlequin, vite des sièges pour moi, et des fauteuils pour
Madame.

IPHICRATE. – Peux-tu m'employer à cela !

ARLEQUIN. – La République le veut.

CLÉANTHIS. – Tenez, tenez, promenons-nous plutôt de cette
590   manière-là, et tout en conversant vous ferez adroitement
tomber l'entretien sur le penchant que mes yeux vous ont
inspiré pour moi. Car encore une fois nous sommes d'honnêtes gens[2] à cette heure ; il faut songer à cela, il n'est plus
question de familiarité domestique. Allons, procédons
595   noblement, n'épargnez ni compliments, ni révérences.

ARLEQUIN. – Et vous, n'épargnez point les mines[3]. Courage ;
quand ce ne serait que pour nous moquer de nos patrons.
Garderons-nous nos gens ?

CLÉANTHIS. – Sans difficulté : pouvons-nous être sans eux,
600   c'est notre suite ; qu'ils s'éloignent seulement.

ARLEQUIN, *à Iphicrate.* – Qu'on se retire à dix pas. *(Iphicrate
et Euphrosine s'éloignent en faisant des gestes d'étonnement et de
douleur ; Cléanthis regarde aller Iphicrate, et Arlequin Euphrosine.
Arlequin se promenant sur le théâtre[4] avec Cléanthis.)* Remarquez-
605   vous, Madame, la clarté du jour ?

CLÉANTHIS. – Il fait le plus beau temps du monde ; on appelle
cela un jour tendre.

ARLEQUIN. – Un jour tendre ? Je ressemble donc au jour,
Madame.

---

1. **Ordonnance** : décret officiel.
2. **D'honnêtes gens** : des gens de bonne compagnie, à la fois agréables et cultivés.
3. **Mines** : manières, minauderies.
4. **Théâtre** : scène.

610 CLÉANTHIS. — Comment, vous lui ressemblez ?

ARLEQUIN. — Et palsambleu[1] le moyen de n'être pas tendre, quand on se trouve tête à tête avec vos grâces. *(À ce mot il saute de joie.)* Oh, oh, oh, oh !

CLÉANTHIS. — Qu'avez-vous donc, vous défigurez notre conver-
615 sation ?

ARLEQUIN. — Oh, ce n'est rien, c'est que je m'applaudis.

CLÉANTHIS. — Rayez ces applaudissements, ils nous dérangent. *(Continuant.)* Je savais bien que mes grâces entreraient pour quelque chose ici, Monsieur, vous êtes galant, vous vous
620 promenez avec moi, vous me dites des douceurs ; mais finissons, en voilà assez, je vous dispense des compliments.

ARLEQUIN. — Et moi, je vous remercie de vos dispenses.

CLÉANTHIS. — Vous m'allez dire que vous m'aimez, je le vois bien : Dites, Monsieur, dites, heureusement on n'en croira
625 rien : vous êtes aimable, mais coquet, et vous ne persuaderez pas.

ARLEQUIN, *l'arrêtant par le bras et se mettant à genoux.* — Faut-il m'agenouiller, Madame, pour vous convaincre de mes flammes, et de la sincérité de mes feux[2] ?

630 CLÉANTHIS. — Mais ceci devient sérieux : laissez-moi, je ne veux point d'affaire[3] ; levez-vous. Quelle vivacité ! Faut-il vous dire qu'on vous aime ? Ne peut-on en être quitte à moins ? Cela est étrange !

ARLEQUIN, *riant à genoux.* — Ah, ah, ah, que cela va bien ! Nous
635 sommes aussi bouffons que nos patrons, mais nous sommes plus sages.

---

1. **Palsambleu** : juron, atténuation de « par le sang de Dieu ».
2. **Flammes, feux** : sentiments amoureux (métaphores usuelles).
3. **Affaire** : affaire sentimentale, liaison.

CLÉANTHIS. – Oh vous riez, vous gâtez tout.

ARLEQUIN. – Ah, ah, par ma foi vous êtes bien aimable, et moi aussi. Savez-vous bien ce que je pense ?

640 CLÉANTHIS. – Quoi ?

ARLEQUIN. – Premièrement, vous ne m'aimez pas, sinon par coquetterie, comme le grand monde[1].

CLÉANTHIS. – Pas encore, mais il ne s'en fallait plus que d'un mot, quand vous m'avez interrompue. Et vous, m'aimez-645 vous ?

ARLEQUIN. – J'y allais[2] aussi quand il m'est venu une pensée. Comment trouvez-vous mon Arlequin ?

CLÉANTHIS. – Fort à mon gré. Mais que dites-vous de ma suivante ?

650 ARLEQUIN. – Qu'elle est friponne !

CLÉANTHIS. – J'entrevois votre pensée.

ARLEQUIN. – Voilà ce que c'est : tombez amoureuse d'Arlequin, et moi de votre suivante ; nous sommes assez forts pour soutenir[3] cela.

655 CLÉANTHIS. – Cette imagination-là me rit assez[4] ; ils ne sauraient mieux faire que de nous aimer, dans le fond.

ARLEQUIN. – Ils n'ont jamais rien aimé de si raisonnable, et nous sommes d'excellents partis pour eux.

CLÉANTHIS. – Soit. Inspirez à Arlequin de s'attacher à moi, 660 faites-lui sentir l'avantage qu'il y trouvera dans la situation où il est ; qu'il m'épouse, il sortira tout d'un coup d'esclavage ; cela est bien aisé, au bout du compte. Je n'étais ces

---

1. **Le grand monde** : les maîtres.
2. **J'y allais** : j'y venais.
3. **Soutenir** : supporter.
4. **Me rit assez** : me convient bien, me plaît.

jours passés qu'une esclave ; mais enfin me voilà dame et maîtresse d'aussi bon jeu qu'une autre : je la suis par hasard ; n'est-ce pas le hasard qui fait tout ? Qu'y a-t-il à dire à cela ? J'ai même un visage de condition[1], tout le monde me l'a dit.

ARLEQUIN. – Pardi je vous prendrais bien, moi, si je n'aimais pas votre suivante un petit brin plus que vous. Conseillez-lui aussi de l'amour pour ma petite personne qui, comme vous voyez, n'est pas désagréable.

CLÉANTHIS. – Vous allez être content ; je vais appeler Cléanthis, je n'ai qu'un mot à lui dire : éloignez-vous un instant, et revenez. Vous parlerez ensuite à Arlequin pour moi, car il faut qu'il commence ; mon sexe[2], la bienséance et ma dignité le veulent.

ARLEQUIN. – Oh, ils le veulent, si vous voulez, car dans le grand monde on n'est pas si façonnier[3] ; et sans faire semblant de rien, vous pourriez lui jeter quelque petit mot bien clair à l'aventure[4] pour lui donner courage, à cause que vous êtes plus que lui, c'est l'ordre.

CLÉANTHIS. – C'est assez bien raisonner. Effectivement, dans le cas où je suis, il pourrait y avoir de la petitesse à m'assujettir à de certaines formalités qui ne me regardent plus ; je comprends cela à merveille, mais parlez-lui toujours, je vais dire un mot à Cléanthis ; tirez-vous à quartier[5] pour un moment.

---

1. De condition : de femme d'une condition sociale élevée.

2. Mon sexe : le fait que je sois une femme.

3. On n'est pas si façonnier : on ne fait pas autant de manières.

4. À l'aventure : au hasard, en passant.

5. Tirez-vous à quartier : retirez-vous.

ARLEQUIN. — Vantez mon mérite, prêtez-m'en un peu à charge
de revanche.

690 CLÉANTHIS. — Laissez-moi faire. *(Elle appelle Euphrosine.)* Cléanthis ?

Scène 7

CLÉANTHIS *et* EUPHROSINE *qui vient doucement.*

CLÉANTHIS. — Approchez, et accoutumez-vous à aller plus
vite, car je ne saurais attendre.

EUPHROSINE. — De quoi s'agit-il ?

CLÉANTHIS. — Venez çà, écoutez-moi : un honnête homme [1]
695 vient de me témoigner qu'il vous aime ; c'est Iphicrate.

EUPHROSINE. — Lequel ?

CLÉANTHIS. — Lequel ? Y en a-t-il deux ici ? c'est celui qui
vient de me quitter.

EUPHROSINE. — Eh que veut-il que je fasse de son amour ?

700 CLÉANTHIS. — Eh qu'avez-vous fait de l'amour de ceux qui vous
aimaient ? Vous voilà bien étourdie : est-ce le mot d'amour
qui vous effarouche ? vous le connaissez tant cet amour ; vous
n'avez jusqu'ici regardé les gens que pour leur en donner ;
vos beaux yeux n'ont fait que cela, dédaignent-ils [2] la
705 conquête du seigneur Iphicrate ? Il ne vous fera pas de révérences penchées, vous ne lui trouverez point de contenance
ridicule, d'airs évaporés [3] : ce n'est point une tête légère,

---

1. **Un honnête homme** : un homme de condition sociale élevée.
2. **Dédaignent-ils** : méprisent-ils.
3. **Évaporés** : faussement étourdis, à la fois prétentieux et fragiles.

un petit badin[1], un petit perfide[2], un joli volage[3], un aimable indiscret ; ce n'est point tout cela ; ces grâces-là lui

710 manquent, à la vérité ; ce n'est qu'un homme franc, qu'un homme simple dans ses manières, qui n'a pas l'esprit de se donner des airs, qui vous dira qu'il vous aime seulement parce que cela sera vrai : enfin ce n'est qu'un bon cœur, voilà tout ; et cela est fâcheux, cela ne pique[4] point. Mais vous avez

715 l'esprit raisonnable, je vous destine à lui, il fera votre fortune ici, et vous aurez la bonté d'estimer son amour, et vous y serez sensible, entendez-vous ; vous vous conformerez à mes intentions, je l'espère, imaginez-vous même que je le veux.

EUPHROSINE. – Où suis-je ! et quand cela finira-t-il ?

720 *Elle rêve.*

Scène 8

ARLEQUIN, EUPHROSINE

Arlequin arrive en saluant Cléanthis qui sort.
Il va tirer Euphrosine par la manche.

EUPHROSINE. – Que me voulez-vous ?

ARLEQUIN, *riant.* – Eh, eh, eh, ne vous a-t-on pas parlé de moi ?

725 EUPHROSINE. – Laissez-moi, je vous prie.

ARLEQUIN. – Eh là là, regardez-moi dans l'œil pour deviner ma pensée ?

---

1. Badin : plaisantin.
2. Perfide : fourbe, hypocrite.
3. Volage : infidèle, galant.
4. Pique : retient l'attention, séduit.

EUPHROSINE. — Eh pensez ce qu'il vous plaira.

ARLEQUIN. — M'entendez-vous un peu ?

730 EUPHROSINE. — Non.

ARLEQUIN. — C'est que je n'ai encore rien dit.

EUPHROSINE, *impatiente*. — Ahi !

ARLEQUIN. — Ne mentez point ; on vous a communiqué les sentiments de mon âme, rien n'est plus obligeant[1] pour
735 vous.

EUPHROSINE. — Quel état !

ARLEQUIN. — Vous me trouvez un peu nigaud, n'est-il pas vrai ? mais cela se passera ; c'est que je vous aime, et que je ne sais comment vous le dire.

740 EUPHROSINE. — Vous ?

ARLEQUIN. — Eh pardi oui ; qu'est-ce qu'on peut faire de mieux ? Vous êtes si belle, il faut bien vous donner son cœur, aussi bien vous le prendriez de vous-même.

EUPHROSINE. — Voici le comble de mon infortune.

745 ARLEQUIN, *lui regardant les mains*. — Quelles mains ravissantes ! les jolis petits doigts ! que je serais heureux avec cela ! mon petit cœur en ferait bien son profit. Reine, je suis bien tendre, mais vous ne voyez rien ; si vous aviez la charité d'être tendre aussi, oh ! je deviendrais fou tout à fait.

750 EUPHROSINE. — Tu ne l'es déjà que trop.

ARLEQUIN. — Je ne le serai jamais tant que[2] vous en êtes digne.

EUPHROSINE. — Je ne suis digne que de pitié, mon enfant.

ARLEQUIN. — Bon, bon, à qui est-ce que vous contez cela ? vous êtes digne de toutes les dignités imaginables : un empereur

---

1. **Obligeant** : agréable.
2. **Tant que** : autant que.

755 ne vous vaut pas, ni moi non plus : mais me voilà, moi, et
un empereur n'y est pas : et un rien qu'on voit vaut mieux
que quelque chose qu'on ne voit pas. Qu'en dites-vous ?

EUPHROSINE. – Arlequin, il me semble que tu n'as point le
cœur mauvais.

760 ARLEQUIN. – Oh, il ne s'en fait plus de cette pâte-là [1], je suis
un mouton.

EUPHROSINE. – Respecte donc le malheur que j'éprouve.

ARLEQUIN. – Hélas ! je me mettrais à genoux devant lui.

EUPHROSINE. – Ne persécute point une infortunée, parce que
765 tu peux la persécuter impunément. Vois l'extrémité où
je suis réduite ; et si tu n'as point d'égard au rang que je
tenais dans le monde, à ma naissance, à mon éducation ;
du moins que mes disgrâces, que mon esclavage, que ma
douleur t'attendrisse : tu peux ici m'outrager [2] autant que
770 tu le voudras ; je suis sans asile et sans défense, je n'ai que
mon désespoir pour tout secours, j'ai besoin de la compassion de tout le monde, de la tienne même, Arlequin ; voilà
l'état où je suis, ne le trouves-tu pas assez misérable ? Tu es
devenu libre et heureux, cela doit-il te rendre méchant ? Je
775 n'ai pas la force de t'en dire davantage ; je ne t'ai jamais fait
de mal, n'ajoute rien à celui que je souffre.

ARLEQUIN, *abattu et les bras abaissés, et comme immobile.* – J'ai
perdu la parole.

---

1. De cette pâte-là : des hommes de cette sorte, aussi doux que moi.
2. M'outrager : me blesser, me manquer de respect.

Scène 9

IPHICRATE, ARLEQUIN

IPHICRATE. – Cléanthis m'a dit que tu voulais t'entretenir avec
moi ; que me veux-tu ? as-tu encore quelques nouvelles
insultes à me faire ?

ARLEQUIN. – Autre personnage qui va me demander encore
ma compassion. Je n'ai rien à te dire, mon ami, sinon que
je voulais te faire commandement d'aimer la nouvelle
Euphrosine : voilà tout. À qui diantre en as-tu[1] ?

IPHICRATE. – Peux-tu me le demander, Arlequin ?

ARLEQUIN. – Eh pardi oui je le peux, puisque je le fais.

IPHICRATE. – On m'avait promis que mon esclavage finirait
bientôt, mais on me trompe, et c'en est fait, je succombe ;
je me meurs, Arlequin, et tu perdras bientôt ce malheureux
maître qui ne te croyait pas capable des indignités qu'il a
souffertes de toi.

ARLEQUIN. – Ah ! il ne nous manquait plus que cela, et nos
amours auront bonne mine. Écoute ; je te défends de
mourir par malice ; par maladie, passe, je te le permets.

IPHICRATE. – Les dieux te puniront, Arlequin.

ARLEQUIN. – Eh, de quoi veux-tu qu'ils me punissent, d'avoir
eu du mal toute ma vie ?

IPHICRATE. – De ton audace et de tes mépris envers ton
maître : rien ne m'a été si sensible[2], je l'avoue. Tu es né, tu
as été élevé avec moi dans la maison de mon père, le tien y
est encore ; il t'avait recommandé ton devoir en partant ;

---

1. À qui diantre en as-tu ? : contre qui, diable, en as-tu ?
2. Rien ne m'a été si sensible : rien ne m'a davantage touché.

moi-même, je t'avais choisi par un sentiment d'amitié pour
m'accompagner dans mon voyage ; je croyais que tu m'ai-
805   mais, et cela m'attachait à toi.

ARLEQUIN, *pleurant*. – Et qui est-ce qui te dit que je ne t'aime
plus ?

IPHICRATE. – Tu m'aimes, et tu me fais mille injures !

ARLEQUIN. – Parce que je me moque un petit brin de toi ; cela
810   empêche-t-il que je t'aime ? Tu disais bien que tu m'aimais,
toi, quand tu me faisais battre ; est-ce que les étrivières[1]
sont plus honnêtes que les moqueries ?

IPHICRATE. – Je conviens que j'ai pu quelquefois te maltraiter
sans trop de sujet[2].

815   ARLEQUIN. – C'est la vérité.

IPHICRATE. – Mais par combien de bontés ai-je réparé cela ?

ARLEQUIN. – Cela n'est pas de ma connaissance.

IPHICRATE. – D'ailleurs, ne fallait-il pas te corriger de tes défauts ?

ARLEQUIN. – J'ai plus pâti[3] des tiens que des miens : mes plus
820   grands défauts, c'était ta mauvaise humeur, ton autorité, et
le peu de cas que tu faisais de ton pauvre esclave.

IPHICRATE. – Va, tu n'es qu'un ingrat ; au lieu de me secourir
ici, de partager mon affliction[4], de montrer à tes camarades
l'exemple d'un attachement qui les eût touchés, qui les eût
825   engagés peut-être à renoncer à leur coutume ou à m'en
affranchir[5], et qui m'eût pénétré moi-même de la plus vive
reconnaissance.

---

1. Étrivières : courroies (appartenant au harnachement du cheval), souvent utilisées pour battre les serviteurs.
2. Sans trop de sujet : sans raison.
3. Pâti : souffert.
4. Affliction : souffrance, désespoir.
5. Affranchir : libérer.

ARLEQUIN. – Tu as raison, mon ami, tu me remontres[1] bien
mon devoir ici pour toi, mais tu n'as jamais su le tien pour
830   moi, quand nous étions dans Athènes. Tu veux que je
partage ton affliction, et jamais tu n'as partagé la mienne.
Eh bien va, je dois avoir le cœur meilleur que toi, car il y a
plus longtemps que je souffre, et que je sais ce que c'est que
de la peine ; tu m'as battu par amitié ; puisque tu le dis, je
835   te le pardonne ; je t'ai raillé par bonne humeur, prends-le
en bonne part, et fais-en ton profit. Je parlerai en ta faveur
à mes camarades, je les prierai de te renvoyer ; et s'ils ne le
veulent pas, je te garderai comme mon ami ; car je ne te
ressemble pas, moi, je n'aurais point le courage d'être
840   heureux à tes dépens.

IPHICRATE, *s'approchant d'Arlequin*. – Mon cher Arlequin !
Fasse le Ciel, après ce que je viens d'entendre, que j'aie la
joie de te montrer un jour les sentiments que tu me donnes
pour toi ! Va, mon cher enfant, oublie que tu fus mon
845   esclave, et je me ressouviendrai toujours que je ne méritais
pas d'être ton maître.

ARLEQUIN. – Ne dites donc point comme cela, mon cher
patron ; si j'avais été votre pareil, je n'aurais peut-être pas
mieux valu que vous : c'est à moi à vous demander pardon
850   du mauvais service que je vous ai toujours rendu. Quand
vous n'étiez pas raisonnable, c'était ma faute.

IPHICRATE, *l'embrassant*. – Ta générosité me couvre de confusion.

ARLEQUIN. – Mon pauvre patron, qu'il y a de plaisir à bien faire !
855   *Après quoi il déshabille son maître.*

---

1. **Tu me remontres** : tu me rappelles.

IPHICRATE. – Que fais-tu, mon cher ami ?

ARLEQUIN. – Rendez-moi mon habit, et reprenez le vôtre, je ne suis pas digne de le porter.

IPHICRATE. – Je ne saurais retenir mes larmes ! Fais ce que tu voudras.

860

Scène 10

CLÉANTHIS, EUPHROSINE, IPHICRATE, ARLEQUIN

CLÉANTHIS, *en entrant avec Euphrosine qui pleure*. – Laissez-moi, je n'ai que faire de vous entendre gémir. *(Et plus près d'Arlequin.)* Qu'est-ce que cela signifie, seigneur Iphicrate ; pourquoi avez-vous repris votre habit ?

865 ARLEQUIN, *tendrement*. – C'est qu'il est trop petit pour mon cher ami, et que le sien est trop grand pour moi.

> *Il embrasse les genoux de son maître.*

CLÉANTHIS. – Expliquez-moi donc ce que je vois ; il semble que vous lui demandiez pardon ?

870 ARLEQUIN. – C'est pour me châtier[1] de mes insolences.

CLÉANTHIS. – Mais enfin, notre projet ?

ARLEQUIN. – Mais enfin, je veux être un homme de bien ; n'est-ce pas là un beau projet ? Je me repens de mes sottises, lui des siennes ; repentez-vous des vôtres, madame Euphrosine

875 se repentira aussi ; et vive l'honneur après : cela fera quatre beaux repentirs, qui nous feront pleurer tant que nous voudrons.

---

1. **Châtier** : punir.

EUPHROSINE. — Ah, ma chère Cléanthis, quel exemple pour vous !

880 IPHICRATE. — Dites plutôt quel exemple pour nous, Madame, vous m'en voyez pénétré[1].

CLÉANTHIS. — Ah vraiment, nous y voilà, avec vos beaux exemples ; voilà de nos gens qui nous méprisent dans le monde, qui font les fiers, qui nous maltraitent, qui nous
885 regardent comme des vers de terre, et puis, qui sont trop heureux dans l'occasion de nous trouver cent fois plus honnêtes gens qu'eux. Fi[2], que cela est vilain, de n'avoir eu pour tout mérite que de l'or, de l'argent et des dignités : c'était bien la peine de faire tant les glorieux ; où en seriez-
890 vous aujourd'hui, si nous n'avions pas d'autre mérite que cela pour vous ? Voyons, ne seriez-vous pas bien attrapés ? Il s'agit de vous pardonner ; et pour avoir cette bonté-là, que faut-il être, s'il vous plaît ? Riche ? non, noble ? non, grand seigneur ? point du tout. Vous étiez tout cela, en
895 valiez-vous mieux ? Et que faut-il donc ? Ah ! Nous y voici. Il faut avoir le cœur bon, de la vertu et de la raison ; voilà ce qu'il faut, voilà ce qui est estimable, ce qui distingue, ce qui fait qu'un homme est plus qu'un autre. Entendez-vous, messieurs les honnêtes gens du monde ? voilà avec quoi l'on
900 donne les beaux exemples que vous demandez, et qui vous passent[3] : et à qui les demandez-vous ? À de pauvres gens que vous avez toujours offensés, maltraités, accablés, tout riches que vous êtes, et qui ont aujourd'hui pitié de vous, tout pauvres qu'ils sont. Estimez-vous à cette heure, faites

---

1. **Pénétré** : persuadé.
2. **Fi** : interjection qui marque le dégoût, le mépris.
3. **Passent** : dépassent, surpassent.

905 les superbes[1], vous aurez bonne grâce : allez, vous devriez rougir de honte !

ARLEQUIN. – Allons, ma mie[2], soyons bonnes gens sans le reprocher, faisons du bien sans dire d'injures ; ils sont contrits[3] d'avoir été méchants, cela fait qu'ils nous valent
910 bien ; car quand on se repent, on est bon ; et quand on est bon, on est aussi avancé que nous. Approchez, madame Euphrosine, elle vous pardonne, voici qu'elle pleure, la rancune s'en va et votre affaire est faite.

CLÉANTHIS. – Il est vrai que je pleure, ce n'est pas le bon cœur
915 qui me manque.

EUPHROSINE, *tristement*. – Ma chère Cléanthis, j'ai abusé de l'autorité que j'avais sur toi, je l'avoue.

CLÉANTHIS. – Hélas, comment en aviez-vous le courage[4] ! Mais voilà qui est fait, je veux bien oublier tout, faites
920 comme vous voudrez ; si vous m'avez fait souffrir, tant pis pour vous, je ne veux pas avoir à me reprocher la même chose, je vous rends la liberté ; et s'il y avait un vaisseau, je partirais tout à l'heure avec vous : voilà tout le mal que je vous veux ; si vous m'en faites encore, ce ne sera pas ma
925 faute.

ARLEQUIN, *pleurant*. – Ah la brave fille ! Ah le charitable naturel !

IPHICRATE. – Êtes-vous contente, Madame ?

EUPHROSINE, *avec attendrissement*. – Viens, que je t'embrasse, ma chère Cléanthis.

---

1. **Superbes** : orgueilleux.
2. **Ma mie** : mon amie.
3. **Ils sont contrits** : ils se repentent.
4. **Comment en aviez-vous le courage** : comment osiez-vous ! Comment aviez-vous le cœur à vous comporter ainsi !

930 ARLEQUIN, *à Cléanthis*. – Mettez-vous à genoux pour être encore meilleure qu'elle.

EUPHROSINE. – La reconnaissance me laisse à peine la force de te répondre. Ne parle plus de ton esclavage, et ne songe plus désormais qu'à partager avec moi tous les biens que 935 les dieux m'ont donnés, si nous retournons à Athènes.

Scène 11

TRIVELIN, *et les acteurs* [1] *précédents*.

TRIVELIN. – Que vois-je, vous pleurez, mes enfants, vous vous embrassez !

ARLEQUIN. – Ah ! vous ne voyez rien, nous sommes admirables ; nous sommes des rois et des reines ; en fin finale [2], la 940 paix est conclue, la vertu a arrangé tout cela ; il ne nous faut plus qu'un bateau et un batelier pour nous en aller ; et si vous nous les donnez, vous serez presque aussi honnêtes gens [3] que nous.

TRIVELIN. – Et vous, Cléanthis, êtes-vous du même sentiment ?

945 CLÉANTHIS, *baisant la main de sa maîtresse*. – Je n'ai que faire de vous en dire davantage, vous voyez ce qu'il en est.

ARLEQUIN, *prenant aussi la main de son maître pour la baiser*. – Voilà aussi mon dernier mot, qui vaut bien des paroles.

---

1. Acteurs : personnages.
2. En fin finale : pléonasme comique.
3. Honnêtes gens : gens agréables et cultivés.

TRIVELIN. – Vous me charmez, embrassez-moi aussi mes chers
enfants, c'est là ce que j'attendais ; si cela n'était pas arrivé,
nous aurions puni vos vengeances comme nous avons puni
leurs duretés. Et vous Iphicrate, vous Euphrosine, je vous
vois attendris, je n'ai rien à ajouter aux leçons que vous
donne cette aventure ; vous avez été leurs maîtres, et vous
en avez mal agi ; ils sont devenus les vôtres, et ils vous
pardonnent ; faites vos réflexions là-dessus. La différence
des conditions[1] n'est qu'une épreuve que les dieux font sur
nous : je ne vous en dis pas davantage. Vous partirez dans
deux jours, et vous reverrez Athènes. Que la joie à présent
et que les plaisirs succèdent aux chagrins que vous avez
sentis[2], et célèbrent le jour de votre vie le plus profitable.

---

1. **Conditions** : conditions sociales.
2. **Sentis** : ressentis.

LA COLONIE

comédie en un acte et en prose

Divertissement

CANTATILLE[1]

Si les lois des hommes dépendent,
Ne vous en plaignez pas, trop aimables objets[2] :
Vous imposez des fers à ceux[3] qui vous commandent,
    Et vos maîtres sont vos sujets[4].

PRÉLUDE

5   Vous triomphez par une douce guerre
De l'esprit le plus fort et du cœur le plus fier.
Jupiter[5] d'un regard épouvante la terre ;
Vous pouvez d'un regard désarmer Jupiter.
      Vos attraits fixent la victoire ;
10   Rien ne saurait vous résister,
      Et c'est augmenter votre gloire
      Que d'oser vous la disputer.

---

1. Cantatille : petite cantate (pièce musicale pour voix et instrument).
2. Objets : objets d'amour, femmes.
3. Vous imposez des fers à ceux : vous tenez prisonniers ceux.
4. Sont vos sujets : sont soumis à votre pouvoir.
5. Jupiter : maître des dieux.

PARODIE

Minerve[1] guide
Les sages, les vertueux,
15   Junon[2] préside
Sur les cœurs ambitieux,
      Vénus[3] décide
      Du sort des amoureux.
      Tout ce qui respire
20   Vit sous l'empire
      D'un sexe si flatteur[4].
Quelque sort qui nous appelle,
      C'est une belle
      Qui fixe notre ardeur.

VAUDEVILLE[5]

25   Aimable[6] sexe[7], vos lois
            Ont des droits
Sur les Dieux comme sur les Rois ;
      Voulez-vous la paix ou la guerre,
Sur vos avis nous savons nous régler :
30   Pour troubler ou calmer la terre,
      Deux beaux yeux n'ont qu'à parler.

---

1. **Minerve** : déesse de la Sagesse.
2. **Junon** : reine des dieux.
3. **Vénus** : déesse de l'Amour.
4. **D'un sexe si flatteur** : il s'agit des femmes.
5. **Vaudeville** : comédie légère fondée sur un comique de situation.
6. **Aimable** : digne d'être aimé.
7. Il s'agit encore des femmes.

Tout est possible à votre art[1] :
Un vieillard
Rajeunit par votre regard.
35   Pour dompter le cœur d'un Achille,
Pour engager un Hercule[2] à filer,
Et pour rendre un sage imbécile,
Deux beaux yeux n'ont qu'à parler.

Le jugement d'un procès
40   Au Palais
Ne dépend pas de nos placets[3] :
Que Philis[4] soit notre refuge,
Nous entendrons notre cause appeler :
Pour faire prononcer un juge,
45   Deux beaux yeux n'ont qu'à parler.

Un avocat bon latin
Cite en vain
Et Bartole et Jean de Moulin[5] :
On est sourd à son éloquence,
50   Dès qu'au barreau Philis vient s'installer :
Pour faire pencher la balance,
Deux beaux yeux n'ont qu'à parler.

---

1. **Art** : capacités, génie.
2. **Achille**, **Hercule** : héros de la mythologie, réputés pour leur bravoure.
3. **Placets** : écrits destinés à demander justice.
4. **Philis** : prénom féminin de convention.
5. **Bartole, Jean de Moulin** : spécialistes du droit.

Oh! que l'on voit à Paris
De commis
55 Qu'en place les belles ont mis.
Si Cloris[1] le veut, un gros âne
Dans un bureau saura bientôt briller ;
Pour en faire un chef de douane,
Deux beaux yeux n'ont qu'à parler.

60 Je ne vais point au vallon
D'Apollon[2]
Quand je veux faire une chanson.
Le beau feu qu'Aminte[3] m'inspire
Vaut bien celui dont ce dieu fait brûler,
65 Et pour faire parler ma lyre,
Deux beaux yeux n'ont qu'à parler.

UNE JEUNE FILLE
Si j'avais un inconstant
Pour amant,
Je craindrais peu son changement ;
70 J'aurais tort de m'en mettre en peine :
Il en est cent que je puis enrôler[4],
D'ici j'en vois une douzaine,
Et mes yeux n'ont qu'à parler.

---

1. **Cloris** : prénom féminin de convention.
2. **Apollon** : dieu des Arts.
3. **Aminte** : prénom féminin de convention.
4. **Enrôler** : séduire.

Auteurs, soyez désormais
Plus discrets.
N'attaquez plus ces doux objets[1].
En vain l'on vante votre ouvrage :
D'un feu divin il a beau pétiller,
Pour vous causer un prompt naufrage,
Deux beaux yeux n'ont qu'à parler.

Si vous voulez qu'Arlequin
Soit en train,
Venez, belles, tout sera plein :
Je cabriole pour vous plaire.
Si vous voulez, je saurai redoubler,
Un *bis* ne m'embarrasse guère :
Deux beaux yeux n'ont qu'à parler.

---

1. **Objets** : objets d'amour, femmes

Acteurs[1]

ARTHENICE[2], femme noble.

MME SORBIN, femme d'artisan.

M. SORBIN, mari de Mme Sorbin[3].

TIMAGÈNE, homme noble.

LINA, fille de Mme Sorbin.

PERSINET, jeune homme du peuple, amant de Lina.

HERMOCRATE, autre noble.

Troupe de femmes, tant nobles que du peuple.

La scène est dans une île où sont abordés[4] tous les acteurs.

---

1. **Acteurs** : personnages.
2. **Arthenice** est le pseudonyme parfois utilisé par Madeleine de Scudéry (1607-1701) pour écrire. C'est aussi l'anagramme de Catherine, en référence à Catherine de Rambouillet (1588-1665), qui tenait un célèbre salon au XVIIᵉ siècle.
3. **M. Sorbin** n'est pas défini comme artisan. Il est désigné comme le « mari de Mme Sorbin », à l'inverse de l'habitude qui veut que l'on considère avant tout la femme comme une épouse et l'homme en fonction de son statut social.
4. **Sont abordés** : sont arrivés.

Scène 1

ARTHENICE, MME SORBIN

ARTHENICE. – Ah çà ! Madame Sorbin, ou plutôt ma compagne,
car vous l'êtes, puisque les femmes de votre état viennent de
vous revêtir du même pouvoir dont les femmes nobles m'ont
revêtue moi-même, donnons-nous la main, unissons-nous et
n'ayons qu'un même esprit toutes les deux.

MADAME SORBIN, *lui donnant la main*. – Conclusion, il n'y a
plus qu'une femme et qu'une pensée ici.

ARTHENICE. – Nous voici chargées du plus grand intérêt que
notre sexe[1] ait jamais eu, et cela dans la conjoncture[2] du
monde la plus favorable pour discuter notre droit vis-à-vis
les hommes.

MADAME SORBIN. – Oh ! pour cette fois-ci, Messieurs, nous
compterons ensemble.

ARTHENICE. – Depuis qu'il a fallu nous sauver avec eux dans
cette île où nous sommes fixées, le gouvernement de notre
patrie a cessé.

MADAME SORBIN. – Oui, il en faut un tout neuf ici, et l'heure
est venue ; nous voici en place d'avoir justice, et de sortir de
l'humilité ridicule qu'on nous a imposée depuis le commencement du monde : plutôt mourir que d'endurer plus longtemps nos affronts.

---

1. **Notre sexe** : les femmes.
2. **Conjoncture** : situation.

ARTHENICE. – Fort bien, vous sentez-vous en effet un courage qui réponde à la dignité de votre emploi ?

MADAME SORBIN. – Tenez, je me soucie aujourd'hui de la vie comme d'un fétu[1] ; en un mot comme en cent, je me sacrifie[2], je l'entreprends. Madame Sorbin veut vivre dans l'histoire et non pas dans le monde.

ARTHENICE. – Je vous garantis un nom immortel.

MADAME SORBIN. – Nous, dans vingt mille ans, nous serons encore la nouvelle du jour.

ARTHENICE. – Et quand même[3] nous ne réussirions pas, nos petites-filles réussiront.

MADAME SORBIN. – Je vous dis que les hommes n'en reviendront jamais. Au surplus, vous qui m'exhortez[4], il y a ici un certain Monsieur Timagène qui court après votre cœur ; court-il encore ? Ne l'a-t-il pas pris ? Ce serait là un furieux sujet de faiblesse humaine, prenez-y garde.

ARTHENICE. – Qu'est-ce que c'est que Timagène[5], Madame Sorbin ? Je ne le connais plus depuis notre projet ; tenez ferme et ne songez qu'à m'imiter.

MADAME SORBIN. – Qui ? moi ! Et où est l'embarras ? Je n'ai qu'un mari, qu'est-ce que cela coûte à laisser ? ce n'est pas là une affaire de cœur.

ARTHENICE. – Oh ! j'en conviens.

MADAME SORBIN. – Ah çà ! vous savez bien que les hommes vont dans un moment s'assembler sous des tentes, afin d'y

---

1. Fétu : brin de paille, objet sans intérêt.

2. En un mot comme en cent, je me sacrifie : je suis décidée à me sacrifier.

3. Quand même : quand bien même.

4. Vous qui m'exhortez : vous qui m'encouragez à parler.

5. Qu'est-ce que c'est que Timagène : qui est ce Timagène.

choisir entre eux deux hommes qui nous feront des lois ; on a battu le tambour pour convoquer l'assemblée.

ARTHENICE. – Eh bien ?

50 MADAME SORBIN. – Eh bien ? il n'y a qu'à faire battre le tambour aussi pour enjoindre à nos femmes d'avoir à mépriser les règlements de ces messieurs, et dresser tout de suite une belle et bonne ordonnance[1] de séparation d'avec les hommes, qui ne se doutent encore de rien.

55 ARTHENICE. – C'était mon idée, sinon qu'au lieu du tambour, je voulais faire afficher notre ordonnance à son de trompe.

MADAME SORBIN. – Oui-da[2], la trompe est excellente et fort convenable.

ARTHENICE. – Voici Timagène et votre mari qui passent sans
60 nous voir.

MADAME SORBIN. – C'est qu'apparemment ils vont se rendre au Conseil. Souhaitez-vous que nous les appelions ?

ARTHENICE. – Soit, nous les interrogerons sur ce qui se passe.
Elle appelle Timagène.

65 MADAME SORBIN *appelle aussi*. – Holà ! notre homme.

Scène 2

LES ACTEURS[3] PRÉCÉDENTS, M. SORBIN, TIMAGÈNE

TIMAGÈNE. – Ah ! pardon, belle Arthenice, je ne vous croyais pas si près.

---

1. **Ordonnance** : décret officiel.
2. **Oui-da** : oui (avec un effet d'insistance).
3. **Acteurs** : personnages.

MONSIEUR SORBIN. – Qu'est-ce que c'est que tu veux, ma femme ? nous avons hâte.

70 MADAME SORBIN. – Eh ! là, là, tout bellement[1], je veux vous voir, Monsieur Sorbin, bonjour ; n'avez-vous rien à me communiquer, par hasard ou autrement ?

MONSIEUR SORBIN. – Non, que veux-tu que je te communique, si ce n'est le temps qu'il fait, ou l'heure qu'il est ?

75 ARTHENICE. – Et vous, Timagène, que m'apprendrez-vous ? Parle-t-on des femmes parmi vous ?

TIMAGÈNE. – Non, Madame, je ne sais rien qui les concerne ; on n'en dit pas un mot.

ARTHENICE. – Pas un mot, c'est fort bien fait.

80 MADAME SORBIN. – Patience, l'affiche vous réveillera.

MONSIEUR SORBIN. – Que veux-tu dire avec ton affiche ?

MADAME SORBIN. – Oh ! rien, c'est que je me parle.

ARTHENICE. – Eh ! dites-moi, Timagène, où allez-vous tous deux d'un air si pensif ?

85 TIMAGÈNE. – Au Conseil, où l'on nous appelle, et où la noblesse et tous les notables d'une part, et le peuple de l'autre, nous menacent, cet honnête homme et moi, de nous nommer pour travailler aux lois, et j'avoue que mon incapacité me fait déjà trembler.

90 MADAME SORBIN. – Quoi, mon mari, vous allez faire des lois ?

MONSIEUR SORBIN. – Hélas, c'est ce qui se publie, et ce qui me donne un grand souci.

MADAME SORBIN. – Pourquoi, Monsieur Sorbin ? Quoique vous soyez massif et d'un naturel un peu lourd, je vous ai 95 toujours connu un très bon gros jugement qui viendra fort

---

1. **Tout bellement** : doucement, du calme.

bien dans cette affaire-ci ; et puis je me persuade que ces messieurs auront le bon esprit de demander des femmes pour les assister, comme de raison.

MONSIEUR SORBIN. – Ah ! tais-toi avec tes femmes, il est bien question de rire !

MADAME SORBIN. – Mais vraiment, je ne ris pas.

MONSIEUR SORBIN. – Tu deviens donc folle ?

MADAME SORBIN. – Pardi, Monsieur Sorbin, vous êtes un petit élu du peuple bien impoli ; mais par bonheur, cela se passera avec une ordonnance[1], je dresserai des lois aussi, moi.

MONSIEUR SORBIN *rit*. – Toi ! hé ! hé ! hé ! hé !

TIMAGÈNE, *riant*. – Hé ! hé ! hé ! hé !...

ARTHENICE. – Qu'y a-t-il donc là de si plaisant ? Elle a raison, elle en fera, j'en ferai moi-même.

TIMAGÈNE. – Vous, Madame ?

MONSIEUR SORBIN, *riant*. – Des lois !

ARTHENICE. – Assurément.

MONSIEUR SORBIN, *riant*. – Ah bien, tant mieux, faites, amusez-vous, jouez une farce ; mais gardez-nous votre drôlerie pour une autre fois, cela est trop bouffon pour le temps qui court.

TIMAGÈNE. – Pourquoi ? La gaieté est toujours de saison.

ARTHENICE. – La gaieté, Timagène ?

MADAME SORBIN. – Notre drôlerie, Monsieur Sorbin ? Courage, on vous en donnera de la drôlerie.

MONSIEUR SORBIN. – Laissons là ces rieuses, seigneur Timagène, et allons-nous-en. Adieu, femme, grand merci de ton assistance.

---

1. Ordonnance : décret officiel.

ARTHENICE. – Attendez, j'aurais une ou deux réflexions à
125 communiquer à Monsieur l'Élu de la noblesse.

TIMAGÈNE. – Parlez, Madame.

ARTHENICE. – Un peu d'attention; nous avons été obligés,
grands et petits, nobles, bourgeois et gens du peuple, de
quitter notre patrie pour éviter la mort ou pour fuir l'escla-
130 vage de l'ennemi qui nous a vaincus.

MONSIEUR SORBIN. – Cela m'a l'air d'une harangue[1], remet-
tons-la à tantôt[2], le loisir[3] nous manque.

MADAME SORBIN. – Paix, malhonnête.

TIMAGÈNE. – Écoutons.

135 ARTHENICE. – Nos vaisseaux nous ont portés dans ce pays
sauvage, et le pays est bon.

MONSIEUR SORBIN. – Nos femmes y babillent[4] trop.

MADAME SORBIN, *en colère.* – Encore!

ARTHENICE. – Le dessein[5] est formé d'y rester, et comme nous
140 y sommes tous arrivés pêle-mêle, que la fortune y est égale
entre tous, que personne n'a droit d'y commander, et que
tout y est confusion, il faut des maîtres, il en faut un ou
plusieurs, il faut des lois.

TIMAGÈNE. – Hé, c'est à quoi nous allons pourvoir, Madame.

145 MONSIEUR SORBIN. – Il va y avoir de tout cela en diligence[6],
on nous attend pour cet effet.

ARTHENICE. – Qui, nous? Qui entendez-vous[7] par nous?

---

1. **Harangue** : discours solennel, souvent considéré comme ennuyeux.
2. **Tantôt** : tout à l'heure.
3. **Loisir** : temps.
4. **Babillent** : bavardent pour ne rien dire.
5. **Dessein** : projet.
6. **En diligence** : rapidement.
7. **Qui entendez-vous** : que voulez-vous dire.

MONSIEUR SORBIN. – Eh pardi, nous entendons, nous, ce ne peut pas être d'autres.

150 ARTHENICE. – Doucement, ces lois, qui est-ce qui va les faire, de qui viendront-elles ?

MONSIEUR SORBIN, *en dérision* [1]. – De nous.

MADAME SORBIN. – Des hommes !

MONSIEUR SORBIN. Apparemment.

155 ARTHENICE. – Ces maîtres, ou bien ce maître, de qui le tiendra-t-on ?

MADAME SORBIN, *en dérision*. – Des hommes.

MONSIEUR SORBIN. – Eh ! apparemment.

ARTHENICE. – Qui sera-t-il ?

160 MADAME SORBIN. – Un homme.

MONSIEUR SORBIN. – Eh ! qui donc ?

ARTHENICE. – Et toujours des hommes et jamais de femmes, qu'en pensez-vous, Timagène ? car le gros [2] jugement de votre adjoint ne va pas jusqu'à savoir ce que je veux dire.

165 TIMAGÈNE. – J'avoue, Madame, que je n'entends [3] pas bien la difficulté non plus.

ARTHENICE. – Vous ne l'entendez pas ? Il suffit, laissez-nous.

MONSIEUR SORBIN, *à sa femme*. – Dis-nous donc ce que c'est.

MADAME SORBIN. – Tu me le demandes, va-t'en.

170 TIMAGÈNE. – Mais, Madame…

ARTHENICE. – Mais, Monsieur, vous me déplaisez là.

MONSIEUR SORBIN, *à sa femme*. – Que veut-elle dire ?

MADAME SORBIN. – Mais va porter ta face d'homme ailleurs.

---

1. **En dérision** : en se moquant.
2. **Gros** : grossier, peu subtil.
3. **Je n'entends** : je ne comprends.

MONSIEUR SORBIN. – À qui[1] en ont-elles ?

175 MADAME SORBIN. – Toujours des hommes, et jamais de femmes, et ça ne nous entend pas[2].

MONSIEUR SORBIN. – Eh bien, après ?

MADAME SORBIN. – Hum ! Le butor[3], voilà ce qui est après.

TIMAGÈNE. – Vous m'affligez, Madame, si vous me laissez partir
180 sans m'instruire de ce qui vous indispose contre moi.

ARTHENICE. – Partez, Monsieur, vous le saurez au retour de votre Conseil.

MADAME SORBIN. – Le tambour vous dira le reste, ou bien le placard[4] au son de la trompe.

185 MONSIEUR SORBIN. – Fifre, trompe ou trompette, il ne m'importe guère ; allons, Monsieur Timagène.

TIMAGÈNE. – Dans l'inquiétude où je suis, je reviendrai, Madame, le plus tôt qu'il me sera possible.

Scène 3

MME SORBIN, ARTHENICE

ARTHENICE. – C'est nous faire un nouvel outrage que de ne nous
190 entendre pas.

MADAME SORBIN. – C'est l'ancienne coutume d'être impertinent de père en fils, qui leur bouche l'esprit.

---

1. À qui : contre qui.
2. Ça ne nous entend pas : ça ne nous comprend pas. (« Ça » désigne les hommes, de manière péjorative.)
3. Butor : grossier personnage.
4. Placard : écrit imprimé que l'on rend public en l'affichant.

Scène 4

MME SORBIN, ARTHENICE, LINA, PERSINET

PERSINET. — Je viens à vous, vénérable et future belle-mère ; vous m'avez promis la charmante Lina ; et je suis bien
195 impatient d'être son époux ; je l'aime tant, que je ne saurais plus supporter l'amour sans le mariage.

ARTHENICE, *à Madame Sorbin*. — Écartez ce jeune homme, Madame Sorbin ; les circonstances présentes nous obligent de rompre avec toute son espèce.

200 MADAME SORBIN. — Vous avez raison, c'est une fréquentation qui ne convient plus.

PERSINET. — J'attends réponse.

MADAME SORBIN. — Que faites-vous là, Persinet ?

PERSINET. — Hélas ! je vous intercède[1], et j'accompagne ma
205 nonpareille[2] Lina.

MADAME SORBIN. — Retournez-vous-en.

LINA. — Qu'il s'en retourne ! eh ! d'où vient, ma mère ?

MADAME SORBIN. — Je veux qu'il s'en aille, il le faut, le cas le requiert, il s'agit d'affaire d'État.

210 LINA. — Il n'a qu'à nous suivre de loin.

PERSINET. — Oui, je serai content de me tenir humblement derrière.

MADAME SORBIN. — Non, point de façon de se tenir, je n'en accorde point ; écartez-vous, ne nous approchez pas jusqu'à la paix.

LINA. — Adieu, Persinet, jusqu'au revoir ; n'obstinons point
215 ma mère[3].

---

1. Je vous intercède : je vous sollicite pour obtenir ce que je veux.

2. Nonpareille : incomparable, qui n'a pas d'égale, exceptionnelle.

3. N'obstinons point ma mère : n'insistons pas, pour ne pas conforter ma mère dans son opinion.

PERSINET. – Mais qui est-ce qui a rompu la paix ? Maudite guerre, en attendant que tu finisses, je vais m'affliger tout à mon aise, en mon petit particulier[1].

Scène 5

ARTHENICE, MME SORBIN, LINA

LINA. – Pourquoi donc le maltraitez-vous, ma mère ? Est-ce
220   que vous ne voulez plus qu'il m'aime, ou qu'il m'épouse ?

MADAME SORBIN. – Non, ma fille, nous sommes dans une concurrence où l'amour n'est plus qu'un sot.

LINA. – Hélas ! quel dommage[2] !

ARTHENICE. – Et le mariage, tel qu'il a été jusqu'ici, n'est plus
225   aussi qu'une pure servitude que nous abolissons, ma belle enfant ; car il faut bien la mettre un peu au fait pour la consoler.

LINA. – Abolir le mariage ! Et que mettra-t-on à la place ?

MADAME SORBIN. – Rien.

LINA. – Cela est bien court.

230 ARTHENICE. – Vous savez, Lina, que les femmes jusqu'ici ont toujours été soumises à leurs maris.

LINA. – Oui, Madame, c'est une coutume qui n'empêche pas l'amour.

MADAME SORBIN. – Je te défends l'amour.

235 LINA. – Quand il y est, comment l'ôter ? Je ne l'ai pas pris ; c'est lui qui m'a prise, et puis je ne refuse pas la soumission.

---

1. **En mon petit particulier** : de mon côté, avec moi-même.
2. **Quel dommage** : quelle triste évolution (sens fort).

MADAME SORBIN. – Comment soumise, petite âme de servante, jour de Dieu! soumise, cela peut-il sortir de la bouche d'une femme? Que je ne vous entende plus proférer[1] cette horreur-là, apprenez que nous nous révoltons.

240

ARTHENICE. – Ne vous emportez point, elle n'a pas été de nos délibérations[2], à cause de son âge, mais je vous réponds d'elle[3], dès qu'elle sera instruite. Je vous assure qu'elle sera charmée d'avoir autant d'autorité que son mari dans son petit ménage, et quand il dira: «Je veux», de pouvoir répliquer: «Moi, je ne veux pas.»

245

LINA, *pleurant*. – Je n'en aurai pas la peine; Persinet et moi, nous voudrons toujours la même chose; nous en sommes convenus entre nous.

MADAME SORBIN. – Prends-y garde avec ton Persinet; si tu n'as pas des sentiments plus relevés[4], je te retranche du noble corps des femmes; reste avec ma camarade et moi pour apprendre à considérer ton importance; et surtout qu'on supprime ces larmes qui font confusion à ta mère, et qui rabaissent notre mérite.

250

255

ARTHENICE. – Je vois quelques-unes de nos amies qui viennent et qui paraissent avoir à nous parler, sachons ce qu'elles nous veulent.

---

1. Proférer: prononcer à haute voix.

2. Délibérations: discussions dans une assemblée.

3. Je vous réponds d'elle: je me porte garante pour elle, je vous garantis qu'elle est digne de confiance.

4. Relevés: nobles, dignes.

Scène 6

ARTHENICE, MME SORBIN, LINA, QUATRE FEMMES,
dont deux tiennent chacune un bracelet de ruban rayé.

UNE DES DÉPUTÉES. – Vénérables compagnes, le sexe[1] qui
vous a nommées ses chefs, et qui vous a choisies pour le
défendre, vient de juger à propos, dans une nouvelle délibération[2], de vous conférer des marques de votre dignité,
et nous vous les apportons de sa part. Nous sommes chargées, en même temps, de vous jurer pour lui une entière
obéissance, quand vous lui aurez juré entre nos mains une
fidélité inviolable : deux articles essentiels auxquels on n'a
pas songé d'abord.

ARTHENICE. – Illustres députées, nous aurions volontiers
supprimé le faste[3] dont on nous pare. Il nous aurait suffi
d'être ornées de nos vertus ; c'est à ces marques qu'on doit
nous reconnaître.

MADAME SORBIN. – N'importe, prenons toujours ; ce sera
deux parures au lieu d'une.

ARTHENICE. – Nous acceptons cependant la distinction dont on
nous honore, et nous allons nous acquitter de nos serments,
dont l'omission a été très judicieusement remarquée ; je
commence.

(Elle met sa main dans celle d'une des députées.)

Je fais vœu de vivre pour soutenir les droits de mon sexe[4]
opprimé ; je consacre ma vie à sa gloire ; j'en jure par ma

---

1. Le sexe : les femmes.
2. Délibération : décision.
3. Faste : déploiement de richesses, luxe.
4. Les droits de mon sexe : les droits des femmes.

dignité de femme, par mon inexorable[1] fierté de cœur, qui est un présent du ciel, il ne faut pas s'y tromper ; enfin par l'indocilité d'esprit que j'ai toujours eue dans mon mariage, et qui m'a préservée de l'affront d'obéir à feu[2] mon bourru[3]
285 de mari ; j'ai dit. À vous, Madame Sorbin.

MADAME SORBIN. − Approchez, ma fille, écoutez-moi, et devenez à jamais célèbre, seulement pour avoir assisté à cette action si mémorable.

(Elle met sa main dans celle d'une des députées.)

290 Voici mes paroles : Vous irez de niveau avec[4] les hommes ; ils seront vos camarades, et non pas vos maîtres. Madame vaudra partout Monsieur, ou je mourrai à la peine. J'en jure par le plus gros juron que je sache ; par cette tête de fer qui ne pliera jamais, et que personne jusqu'ici ne peut se vanter
295 d'avoir réduite, il n'y a qu'à en demander des nouvelles.

UNE DES DÉPUTÉES. − Écoutez, à présent, ce que toutes les femmes que nous représentons vous jurent à leur tour. On verra la fin du monde, la race des hommes s'éteindra avant que nous cessions d'obéir à vos ordres ; voici déjà une de nos
300 compagnes qui accourt pour vous reconnaître.

---

1. Inexorable : inflexible, que l'on ne peut fléchir.
2. Feu : défunt.
3. Bourru : renfrogné, désagréable.
4. De niveau avec : au même niveau que, à égalité avec.

Scène 7

LES DÉPUTÉES, ARTHENICE, MME SORBIN, LINA,
UNE FEMME *qui arrive*.

LA FEMME. − Je me hâte de venir rendre hommage à nos souveraines, et de me ranger sous leurs lois.

ARTHENICE. − Embrassons-nous, mes amies ; notre serment mutuel vient de nous imposer de grands devoirs, et pour
305 vous exciter à remplir les vôtres, je suis d'avis de vous retracer en ce moment une vive image de l'abaissement où nous avons langui[1] jusqu'à ce jour ; nous ne ferons en cela que nous conformer à l'usage de tous les chefs de parti.

310 MADAME SORBIN. − Cela s'appelle exhorter[2] son monde avant la bataille.

ARTHENICE. − Mais la décence veut que nous soyons assises, on en parle plus à son aise.

MADAME SORBIN. − Il y a des bancs là-bas, il n'y a qu'à les
315 approcher. *(À Lina.)* Allons, petite fille, alerte[3].

LINA. − Je vois Persinet qui passe, il est plus fort que moi, et il m'aidera, si vous voulez.

UNE DES FEMMES. − Quoi ! Nous emploierions un homme ?

ARTHENICE. − Pourquoi non ? Que cet homme nous serve, j'en
320 accepte l'augure[4].

---

1. **Langui** : souffert, dépéri.
2. **Exhorter** : encourager.
3. **Alerte** : dépêchez-vous, montrez-vous vive et agile.
4. **Augure** : bon signe.

MADAME SORBIN. – C'est bien dit ; dans l'occurrence[1] présente, cela nous portera bonheur. *(À Lina.)* Appelez-nous ce domestique.

LINA *appelle*. – Persinet ! Persinet !

Scène 8

325   PERSINET *accourt*. – Qu'y a-t-il, mon amour ?

LINA. – Aidez-moi à pousser ces bancs jusqu'ici.

PERSINET. – Avec plaisir, mais n'y touchez pas, vos petites mains sont trop délicates, laissez-moi faire.

> *Il avance les bancs, Arthenice et Madame Sorbin,*
> 330   *après quelques civilités[3], s'assoient les premières ;*
> *Persinet et Lina s'assoient tous deux au même bout.*

ARTHENICE, *à Persinet*. – J'admire la liberté que vous prenez, petit garçon, ôtez-vous de là, on n'a plus besoin de vous.

MADAME SORBIN. – Votre service est fait, qu'on s'en aille.

335   LINA. – Il ne tient presque pas de place, ma mère, il n'a que la moitié de la mienne.

MADAME SORBIN. – À la porte, vous dit-on.

PERSINET. – Voilà qui est bien dur !

---

1. Occurrence : circonstance.
2. Acteurs : personnages.
3. Civilités : politesses.

Scène 9

LES FEMMES SUSDITES

ARTHENICE, *après avoir toussé et craché.* – L'oppression dans
laquelle nous vivons sous nos tyrans, pour être[1] si ancienne,
n'en est pas devenue plus raisonnable ; n'attendons pas que
les hommes se corrigent d'eux-mêmes ; l'insuffisance de
leurs lois a beau les punir de les avoir faites à leur tête et sans
nous, rien ne les ramène à la justice qu'ils nous doivent, ils
ont oublié qu'ils nous la refusent.

MADAME SORBIN. – Aussi le monde va, il n'y a qu'à voir.

ARTHENICE. – Dans l'arrangement des affaires, il est décidé
que nous n'avons pas le sens commun[2], mais tellement
décidé que cela va tout seul, et que nous n'en appelons pas
nous-mêmes[3].

UNE DES FEMMES. – Hé ! que voulez-vous ? On nous crie dès le
berceau : « Vous n'êtes capables de rien, ne vous mêlez de
rien, vous n'êtes bonnes à rien qu'à être sages. » On l'a dit à
nos mères qui l'ont cru, qui nous le répètent ; on a les oreilles
rebattues de ces mauvais propos ; nous sommes douces, la
paresse s'en mêle, on nous mène comme des moutons.

MADAME SORBIN. – Oh ! pour moi, je ne suis qu'une femme,
mais depuis que j'ai l'âge de raison, le mouton n'a jamais
trouvé cela bon.

ARTHENICE. – Je ne suis qu'une femme, dit Madame Sorbin,
cela est admirable !

---

1. Pour être : même si elle est, bien qu'elle soit.

2. Sens commun : bon sens.

3. Nous n'en appelons pas nous-mêmes : cela semble une telle évidence que
nous ne songeons même pas, nous les femmes, à contester cet état de fait.

MADAME SORBIN. – Cela vient encore de cette moutonnerie[1].

ARTHENICE. – Il faut qu'il y ait en nous une défiance bien louable
de nos lumières[2] pour avoir adopté ce jargon[3]-là ; qu'on me
365   trouve des hommes qui en disent autant d'eux ; cela les
passe[4] ; venons au vrai pourtant : vous n'êtes qu'une femme,
dites-vous ? Hé ! que voulez-vous donc être pour être mieux ?

MADAME SORBIN. – Eh ! je m'y tiens, Mesdames, je m'y tiens,
c'est nous qui avons le mieux, et je bénis le Ciel de m'en
370   avoir fait participante, il m'a comblée d'honneurs, et je lui
en rends des grâces nonpareilles[5].

UNE DES FEMMES. – Hélas ! cela est bien juste.

ARTHENICE. – Pénétrons-nous[6] donc un peu de ce que nous
valons, non par orgueil, mais par reconnaissance[7].

375   LINA. – Ah ! si vous entendiez Persinet là-dessus, c'est lui qui
est pénétré suivant nos mérites.

UNE DES FEMMES. – Persinet n'a que faire ici ; il est indécent
de le citer.

MADAME SORBIN. – Paix, petite fille, point de langue ici, rien
380   que des oreilles ; excusez, Mesdames ; poursuivez, la camarade.

ARTHENICE. – Examinons ce que nous sommes, et arrêtez-
moi, si j'en dis trop ; qu'est-ce qu'une femme, seulement à
la voir ? En vérité, ne dirait-on pas que les dieux en ont fait
385   l'objet de leurs plus tendres complaisances ?

---

1. **Moutonnerie** : docilité (censée caractériser le mouton).
2. **Lumières** : compétences, capacités.
3. **Jargon** : langage obscur, incompréhensible.
4. **Cela les passe** : cela les dépasse, ils n'en sont pas capables.
5. **Nonpareilles** : exceptionnelles, hors du commun.
6. **Pénétrons-nous** : persuadons-nous.
7. **Par reconnaissance** : pour reconnaître ce qui est vrai, par souci d'objectivité.

UNE DES FEMMES. – Plus j'y rêve, et plus j'en suis convaincue.

UNE DES FEMMES. – Cela est incontestable.

UNE AUTRE FEMME. – Absolument incontestable.

UNE AUTRE FEMME. – C'est un fait.

390 ARTHENICE. – Regardez-la, c'est le plaisir des yeux.

UNE FEMME. – Dites les délices.

ARTHENICE. – Souffrez que j'achève.

UNE FEMME. – N'interrompons point.

UNE AUTRE FEMME. – Oui, écoutons.

395 UNE AUTRE FEMME. – Un peu de silence.

UNE AUTRE FEMME. – C'est notre chef qui parle.

UNE AUTRE FEMME. – Et qui parle bien.

LINA. – Pour moi, je ne dis mot.

MADAME SORBIN. – Se taira-t-on ? car cela m'impatiente !

400 ARTHENICE. – Je recommence : regardez-la, c'est le plaisir des yeux ; les grâces et la beauté, déguisées sous toutes sortes de formes, se disputant à qui versera le plus de charmes sur son visage et sur sa figure. Eh ! qui est-ce qui peut définir le nombre et la variété de ces charmes ? Le sentiment les
405 saisit, nos expressions n'y sauraient atteindre. *(Toutes les femmes se redressent ici. Arthenice continue.)* La femme a l'air noble, et cependant son air de douceur enchante.

Les femmes ici prennent un air doux.

UNE FEMME. – Nous voilà.

410 MADAME SORBIN. – Chut !

ARTHENICE. – C'est une beauté fière, et pourtant une beauté mignarde[1] ; elle imprime un respect qu'on n'ose perdre, si elle ne s'en mêle ; elle inspire un amour qui ne saurait

---

1. **Mignarde** : délicate.

se taire ; dire qu'elle est belle, qu'elle est aimable, ce n'est
415   que commencer son portrait ; dire que sa beauté surprend,
qu'elle occupe, qu'elle attendrit, qu'elle ravit, c'est dire, à
peu près, ce qu'on en voit, ce n'est pas effleurer ce qu'on en
pense.

MADAME SORBIN. — Et ce qui est encore incomparable, c'est
420   de vivre avec toutes ces belles choses-là, comme si de rien
n'était ; voilà le surprenant, mais ce que j'en dis n'est pas
pour interrompre, paix !

ARTHENICE. — Venons à l'esprit, et voyez combien le nôtre a paru
redoutable à nos tyrans ; jugez-en par les précautions qu'ils
425   ont prises pour l'étouffer, pour nous empêcher d'en faire
usage ; c'est à filer, c'est à la quenouille[1], c'est à l'économie[2]
de leur maison, c'est au misérable tracas d'un ménage, enfin
c'est à faire des nœuds, que ces messieurs nous condamnent.

UNE FEMME. — Véritablement, cela crie vengeance.

430   ARTHENICE. — Ou bien, c'est à savoir prononcer sur des ajustements[3], c'est à les réjouir dans leurs soupers, c'est à leur
inspirer d'agréables passions, c'est à régner dans la bagatelle[4], c'est à n'être nous-mêmes que la première de toutes
les bagatelles ; voilà toutes les fonctions qu'ils nous laissent
435   ici-bas ; à nous qui les avons polis[5], qui leur avons donné
des mœurs, qui avons corrigé la férocité de leur âme ; à
nous, sans qui la terre ne serait qu'un séjour de sauvages,
qui ne mériteraient pas le nom d'hommes.

---

1. Quenouille : instrument utilisé pour le filage du lin, du chanvre ou de la laine.
2. Économie : organisation, fonctionnement quotidien.
3. Ajustements : toilettes, parures.
4. Bagatelle : plaisir.
5. Qui les avons polis : qui leur avons donné de l'éducation.

UNE DES FEMMES. – Ah! les ingrats; allons, Mesdames, suppri-
440 mons les soupers dès ce jour.

UNE AUTRE. – Et pour des passions, qu'ils en cherchent.

MADAME SORBIN. – En un mot comme en cent[1], qu'ils filent
à leur tour.

ARTHENICE. – Il est vrai qu'on nous traite de charmantes, que
445 nous sommes des astres, qu'on nous distribue des teints de
lis et de rose, qu'on nous chante dans les vers, où le soleil
insulté pâlit de honte à notre aspect, et comme vous voyez,
cela est considérable; et puis les transports[2], les extases, les
désespoirs dont on nous régale, quand il nous plaît.

450 MADAME SORBIN. – Vraiment, c'est de la friandise qu'on
donne à ces enfants.

UNE AUTRE FEMME. – Friandise, dont il y a plus de six mille
ans que nous vivons.

ARTHENICE. – Et qu'en arrive-t-il? que par simplicité nous
455 nous entêtons du vil honneur de leur plaire, et que nous
nous amusons bonnement à être coquettes, car nous le
sommes, il en faut convenir.

UNE FEMME. – Est-ce notre faute? Nous n'avons que cela à
faire.

460 ARTHENICE. – Sans doute; mais ce qu'il y a d'admirable, c'est
que la supériorité de notre âme est si invincible, si opiniâtre[3],
qu'elle résiste à tout ce que je dis là, c'est qu'elle éclate et
perce encore à travers cet avilissement où nous tombons;
nous sommes coquettes, d'accord, mais notre coquetterie
465 même est un prodige.

---

1. **En un mot comme en cent** : pour conclure, enfin.
2. **Transports** : sentiments amoureux.
3. **Opiniâtre** : résistante, tenace.

UNE FEMME. – Oh! tout ce qui part de nous est parfait.

ARTHENICE. – Quand je songe à tout le génie, toute la sagacité, toute l'intelligence que chacune de nous y met en se jouant, et que nous ne pouvons mettre que là, cela est
470 immense; il y entre plus de profondeur d'esprit qu'il n'en faudrait pour gouverner deux mondes comme le nôtre, et tant d'esprit est en pure perte.

MADAME SORBIN, *en colère.* – Ce monde-ci n'y gagne rien; voilà ce qu'il faut pleurer.

475 ARTHENICE. – Tant d'esprit n'aboutit qu'à renverser de petites cervelles qui ne sauraient le soutenir, et qu'à nous procurer de sots compliments, que leurs vices et leur démence, et non pas leur raison, nous prodiguent; leur raison ne nous a jamais dit que des injures.

480 MADAME SORBIN. – Allons, point de quartier; je fais vœu d'être laide, et notre première ordonnance[1] sera que nous tâchions de l'être toutes. *(À Arthenice.)* N'est-ce pas, camarade?

ARTHENICE. – J'y consens.

485 UNE DES FEMMES. – D'être laides? Il me paraît à moi que c'est prendre à gauche[2].

UNE AUTRE FEMME. – Je ne serai jamais de cet avis-là, non plus.

UNE AUTRE FEMME. – Eh! mais qui est-ce qui pourrait en
490 être? Quoi! s'enlaidir exprès pour se venger des hommes? Eh! tout au contraire, embellissons-nous, s'il est possible, afin qu'ils nous regrettent davantage.

---

1. Ordonnance: décret officiel.
2. Prendre à gauche: faire fausse route.

UNE AUTRE FEMME. — Oui, afin qu'ils soupirent plus que jamais à nos genoux, et qu'ils meurent de douleur de se voir rebutés ; voilà ce qu'on appelle une indignation de bon sens, et vous êtes dans le faux, Madame Sorbin, tout à fait dans le faux.

MADAME SORBIN. — Ta, ta, ta, ta, je t'en réponds, embellissons-nous pour retomber ; de vingt galants qui se meurent à nos genoux, il n'y en a quelquefois pas un qu'on ne réchappe, d'ordinaire on les sauve tous ; ces mourants-là nous gagnent trop, je connais bien notre humeur, et notre ordonnance[1] tiendra ; on se rendra laide ; au surplus ce ne sera pas si grand dommage, Mesdames, et vous n'y perdrez pas plus que moi.

UNE FEMME. — Oh ! doucement, cela vous plaît à dire, vous ne jouez pas gros jeu, vous ; votre affaire est bien avancée[2].

UNE AUTRE. — Il n'est pas étonnant que vous fassiez si bon marché de vos grâces.

UNE AUTRE. — On ne vous prendra jamais pour un astre.

LINA. — Tredame[3], ni vous non plus pour une étoile.

UNE FEMME. — Tenez, ce petit étourneau, avec son caquet.

MADAME SORBIN. — Ah ! pardi, me voilà bien ébahie ; eh ! dites donc, vous autres pimbêches[4], est-ce que vous croyez être jolies ?

UNE AUTRE. — Eh ! mais, si nous vous ressemblons, qu'est-il besoin de s'enlaidir ? Par où s'y prendre ?

UNE AUTRE. — Il est vrai que la Sorbin en parle bien à son aise.

---

1. Ordonnance : décret officiel.
2. La femme qui s'exprime sous-entend que Mme Sorbin n'est plus très jeune et n'a donc pas beaucoup d'efforts à faire pour renoncer à sa beauté.
3. Tredame : juron, abréviation de « Notre-Dame ».
4. Pimbêches : femmes prétentieuses.

MADAME SORBIN. – Comment donc, la Sorbin ? m'appeler la Sorbin ?

520 LINA. – Ma mère, une Sorbin !

MADAME SORBIN. – Qui est-ce qui sera donc madame ici ; me perdre le respect de cette manière ?

ARTHENICE, *à l'autre femme*. – Vous avez tort, ma bonne, et je trouve le projet de Madame Sorbin très sage.

525 UNE FEMME. – Ah ! je le crois ; vous n'y avez pas plus d'intérêt qu'elle.

ARTHENICE. – Qu'est-ce que cela signifie ? M'attaquer moi-même ?

MADAME SORBIN. – Mais voyez ces guenons, avec leur vision de beauté ; oui, Madame Arthenice et moi qui valons mieux
530 que vous, voulons, ordonnons et prétendons qu'on s'habille mal, qu'on se coiffe de travers, et qu'on se noircisse le visage au soleil[1].

ARTHENICE. – Et pour contenter ces femmes-ci, notre édit n'exceptera qu'elles, il leur sera permis de s'embellir, si
535 elles le peuvent.

MADAME SORBIN. – Ah ! que c'est bien dit ; oui, gardez tous vos affiquets[2], corsets, rubans, avec vos mines et vos simagrées qui font rire, avec vos petites mules[3] ou pantoufles, où l'on écrase un pied qui n'y saurait loger, et qu'on veut
540 rendre mignon en dépit de sa taille, parez-vous, parez-vous, il n'y a pas de conséquence.

UNE DES FEMMES. – Juste ciel ! qu'elle est grossière ! N'a-t-on pas fait là un beau choix ?

---

1. Le bronzage n'est pas un critère de beauté. Les femmes élégantes recherchent au contraire la blancheur du teint.
2. **Affiquets** : bijoux.
3. **Mules** : pantoufles laissant le talon découvert.

ARTHÉNICE. – Retirez-vous ; vos serments vous lient, obéissez ;
545   je romps la séance.

UNE DES FEMMES. – Obéissez ? voilà de grands airs.

UNE DES FEMMES. – Il n'y a qu'à se plaindre, il faut crier.

TOUTES LES FEMMES. – Oui, crions, crions, représentons.

MADAME SORBIN. – J'avoue que les poings me démangent.

550   ARTHÉNICE. – Retirez-vous, vous dis-je, ou je vous ferai mettre
aux arrêts[1].

UNE DES FEMMES, *en s'en allant avec les autres*. – C'est votre
faute, Mesdames, je ne voulais ni de cette artisane, ni de
cette princesse, je n'en voulais pas, mais l'on ne m'a pas
555   écoutée.

Scène 10

ARTHÉNICE, MME SORBIN, LINA

LINA. – Hélas ! ma mère, pour apaiser tout, laissez-nous garder
nos mules et nos corsets.

MADAME SORBIN. – Tais-toi, je t'habillerai d'un sac si tu me
raisonnes.

560   ARTHÉNICE. – Modérons-nous, ce sont des folles ; nous avons
une ordonnance[2] à faire, allons la tenir prête.

MADAME SORBIN. – Partons ; *(À Lina.)* et toi, attends ici que
les hommes sortent de leur Conseil, ne t'avise pas de parler
à Persinet s'il venait, au moins ; me le promets-tu ?

---

1. Aux arrêts : en prison.
2. Ordonnance : décret officiel.

565 LINA. — Mais… oui, ma mère.

MADAME SORBIN. — Et viens nous avertir dès que des hommes paraîtront, tout aussitôt.

Scène 11

LINA, *un moment seule* ; PERSINET

LINA. — Quel train[1] ! Quel désordre ! Quand me mariera-t-on à cette heure ? Je n'en sais plus rien.

570 PERSINET. — Eh bien, Lina, ma chère Lina, contez-moi mon désastre ; d'où vient que Madame Sorbin me chasse ? J'en suis encore tout tremblant, je n'en puis plus, je me meurs.

LINA. — Hélas ! ce cher petit homme, si je pouvais lui parler dans son affliction[2].

575 PERSINET. — Eh bien ! vous le pouvez, je ne suis pas ailleurs.

LINA. — Mais on me l'a défendu, on ne veut pas seulement que je le regarde, et je suis sûre qu'on m'épie.

PERSINET. — Quoi ! me retrancher vos yeux ?

LINA. — Il est vrai qu'il peut me parler, lui, on ne m'a pas 580 ordonné de l'en empêcher.

PERSINET. — Lina, ma Lina, pourquoi me mettez-vous à une lieue[3] d'ici ? Si vous n'avez pas compassion de moi[4], je n'ai pas longtemps à vivre ; il me faut même actuellement un coup d'œil pour me soutenir.

---

1. **Train** : agitation.
2. **Affliction** : souffrance, détresse.
3. **Une lieue** : ancienne unité de longueur équivalant à environ 4 km.
4. **Si vous n'avez pas compassion de moi** : si vous n'avez pas pitié de moi.

585 Lina. — Si pourtant, dans l'occurrence[1], il n'y avait qu'un
regard qui pût sauver mon Persinet, oh ! ma mère aurait
beau dire, je ne le laisserais pas mourir.

Elle le regarde.

Persinet. — Ah ! le bon remède ! je sens qu'il me rend la vie ;
590 répétez, m'amour[2], encore un tour de prunelle[3] pour me
remettre tout à fait.

Lina. — Et s'il ne suffisait pas d'un regard, je lui en donnerais
deux, trois, tant qu'il faudrait.

Elle le regarde.

595 Persinet. — Ah ! me voilà un peu revenu[4] ; dites-moi le reste
à présent ; mais parlez-moi de plus près et non pas en mon
absence.

Lina. — Persinet ne sait pas que nous sommes révoltées.

Persinet. — Révoltées contre moi ?

600 Lina. — Et que ce sont les affaires d'État qui nous sont
contraires.

Persinet. — Eh ! de quoi se mêlent-elles ?

Lina. — Et que les femmes ont résolu[5] de gouverner le monde
et de faire des lois.

605 Persinet. — Est-ce moi qui les en empêche ?

Lina. — Il ne sait pas qu'il va tout à l'heure nous être enjoint[6]
de rompre avec les hommes.

Persinet. — Mais non pas avec les garçons ?

---

1. **Occurrence** : circonstance.
2. **M'amour** : mon amour.
3. **Encore un tour de prunelle** : encore un regard.
4. **Me voilà un peu revenu** : j'ai un peu repris mes esprits.
5. **Résolu** : décidé.
6. **Enjoint** : demandé.

LINA. – Qu'il sera enjoint d'être laides et mal faites avec eux,
610   de peur qu'ils n'aient du plaisir à nous voir, et le tout par
le moyen d'un placard[1] au son de la trompe.

PERSINET. – Et moi je défie toutes les trompes et tous les
placards du monde de vous empêcher d'être jolie.

LINA – De sorte que je n'aurai plus ni mules[2], ni corset, que
615   ma coiffure ira de travers et que je serai peut-être habillée
d'un sac ; voyez-vous à quoi je ressemblerai.

PERSINET. – Toujours à vous, mon petit cœur.

LINA. – Mais voilà les hommes qui sortent, je m'enfuis pour
avertir ma mère. Ah ! Persinet ! Persinet !

620   *Elle fuit.*

PERSINET. – Attendez donc, j'y suis ; ah ! maudites lois, faisons
ma plainte à ces messieurs.

Scène 12

M. SORBIN, HERMOCRATE, TIMAGÈNE,
UN AUTRE HOMME, PERSINET

HERMOCRATE. – Non, seigneur Timagène, nous ne pouvons
pas mieux choisir ; le peuple n'a pas hésité sur Monsieur
625   Sorbin, le reste des citoyens n'a eu qu'une voix pour vous,
et nous sommes en de bonnes mains.

PERSINET. – Messieurs, permettez l'importunité[3] : je viens à
vous, Monsieur Sorbin ; ces affaires d'État me coupent la

---

1. **Placard** : écrit imprimé que l'on rend public en l'affichant.
2. **Mules** : pantoufles laissant le talon découvert.
3. **Permettez l'importunité** : permettez-moi d'être importun, de vous interrompre.

630 gorge, je suis abîmé ; vous croyez que vous aurez un gendre
et c'est ce qui vous trompe ; Madame Sorbin m'a cassé tout
net jusqu'à la paix ; on vous casse aussi, on ne veut plus des
personnes de notre étoffe, toute face d'homme est bannie ;
on va nous retrancher à son de trompe, et je vous demande
votre protection contre un tumulte.

635 MONSIEUR SORBIN. – Que voulez-vous dire, mon fils ? Qu'est-ce
que c'est qu'un tumulte ?

PERSINET. – C'est une émeute, une ligue [1], un tintamarre, un
charivari sur le gouvernement du royaume ; vous saurez
que les femmes se sont mises tout en un tas pour être laides,
640 elles vont quitter les pantoufles, on parle même de changer
de robes, de se vêtir d'un sac, et de porter les cornettes [2] de
côté pour nous déplaire ; j'ai vu préparer un grand colloque,
j'ai moi-même approché les bancs pour la commodité de la
conversation ; je voulais m'y asseoir, on m'a chassé comme
645 un gredin [3] ; le monde va périr, et le tout à cause de vos lois,
que ces braves dames veulent faire en communauté avec
vous, et dont je vous conseille de leur céder la moitié de la
façon, comme cela est juste [4].

TIMAGÈNE. – Ce qu'il nous dit est-il possible ?

650 PERSINET. – Qu'est-ce que c'est que des lois ? Voilà une belle
bagatelle [5] en comparaison de la tendresse des dames !

HERMOCRATE. – Retirez-vous, jeune homme.

---

1. **Ligue** : alliance des femmes pour prendre le pouvoir.
2. **Cornettes** : coiffes de femme.
3. **Gredin** : malhonnête, voyou.
4. Persinet conseille aux autres hommes de « céder » : ils devraient travailler avec les femmes pour élaborer les lois.
5. **Bagatelle** : chose sans importance.

PERSINET. – Quel vertigo[1] prend-il donc à tout le monde ? De quelque côté que j'aille, on me dit partout : « Va-t'en » ;
655 je n'y comprends rien.

MONSIEUR SORBIN. – Voilà donc ce qu'elles voulaient dire tantôt[2] ?

TIMAGÈNE. – Vous le voyez.

HERMOCRATE. – Heureusement, l'aventure est plus comique
660 que dangereuse.

UN AUTRE HOMME. – Sans doute.

MONSIEUR SORBIN. – Ma femme est têtue, et je gage[3] qu'elle a tout ameuté ; mais attendez-moi là ; je vais voir ce que c'est, et je mettrai bon ordre à cette folie-là quand j'aurai
665 pris mon ton de maître ; je vous fermerai le bec à cela ; ne vous écartez pas, Messieurs.

Il sort par un côté.

TIMAGÈNE. – Ce qui me surprend, c'est qu'Arthenice se soit mise de la partie.

Scène 13

TIMAGÈNE, HERMOCRATE, L'AUTRE HOMME,
PERSINET, ARTHENICE, MME SORBIN, UNE FEMME
avec un tambour, et LINA, *tenant une affiche.*

670 ARTHENICE. – Messieurs, daignez répondre à notre question ; vous allez faire des règlements pour la République, n'y

---

1. Vertigo : caprice, fantaisie.
2. Tantôt : tout à l'heure.
3. Gage : parie.

travaillerons-nous pas de concert[1] ? À quoi nous destinez-vous là-dessus ?

HERMOCRATE. — À rien, comme à l'ordinaire[2].

675 UN AUTRE HOMME. — C'est-à-dire à vous marier quand vous serez filles[3], à obéir à vos maris quand vous serez femmes, et à veiller sur votre maison : on ne saurait vous ôter cela, c'est votre lot[4].

MADAME SORBIN. — Est-ce là votre dernier mot ? Battez
680 tambour ; *(Et à Lina.)* et vous, allez afficher l'ordonnance[5] à cet arbre.

On bat le tambour et Lina affiche.

HERMOCRATE. — Mais qu'est-ce que c'est que cette mauvaise plaisanterie-là ? Parlez-leur donc, seigneur Timagène,
685 sachez de quoi il est question.

TIMAGÈNE. — Voulez-vous bien vous expliquer, Madame ?

MADAME SORBIN. — Lisez l'affiche, l'explication y est.

ARTHENICE. — Elle vous apprendra que nous voulons nous mêler de tout, être associées à tout, exercer avec vous tous
690 les emplois, ceux de finance, de judicature[6] et d'épée.

HERMOCRATE. — D'épée, Madame ?

ARTHENICE. — Oui d'épée, Monsieur ; sachez que jusqu'ici nous n'avons été poltronnes[7] que par éducation.

MADAME SORBIN. — Mort de ma vie ! qu'on nous donne des
695 armes, nous serons plus méchantes que vous ; je veux que

---

1. De concert : ensemble.
2. Comme à l'ordinaire : comme d'habitude.
3. Filles : jeunes filles.
4. Lot : sort.
5. Ordonnance : décret officiel.
6. Judicature : ensemble des employés travaillant pour la justice.
7. Poltronnes : peureuses, sans courage.

dans un mois, nous maniions le pistolet comme un éventail : je tirai ces jours passés sur un perroquet, moi qui vous parle.

ARTHENICE. – Il n'y a que de l'habitude à tout.

700 MADAME SORBIN. – De même qu'au Palais à tenir l'audience, à être Présidente, Conseillère, Intendante, Capitaine ou Avocate.

UN HOMME. – Des femmes avocates ?

MADAME SORBIN. – Tenez donc, c'est que nous n'avons pas la
705 langue assez bien pendue, n'est-ce pas ?

ARTHENICE. – Je pense qu'on ne nous disputera pas le don de la parole.

HERMOCRATE. – Vous n'y songez pas, la gravité de la magistrature et la décence du barreau ne s'accorderaient jamais
710 avec un bonnet carré [1] sur une cornette [2].

ARTHENICE. – Et qu'est-ce que c'est qu'un bonnet carré, Messieurs ? Qu'a-t-il de plus important qu'une autre coiffure ? D'ailleurs, il n'est pas de notre bail [3] non plus que votre Code ; jusqu'ici c'est votre justice et non pas la nôtre ; justice
715 qui va comme il plaît à nos beaux yeux, quand ils veulent s'en donner la peine, et si nous avons part à l'institution des lois, nous verrons ce que nous ferons de cette justice-là, aussi bien que du bonnet carré, qui pourrait bien devenir octogone si on nous fâche ; la veuve ni l'orphelin n'y perdront rien.

720 UN HOMME. – Et ce ne sera pas la seule coiffure que nous tiendrons de vous.

---

1. Bonnet carré : bonnet du juge.

2. Cornette : coiffe de femme.

3. Il n'est pas de notre bail : il n'appartient pas à notre monde, nous ne nous sentons pas concernées.

MADAME SORBIN. – Ah ! la belle pointe d'esprit[1] ; mais finalement, il n'y a rien à rabattre, sinon lisez notre édit[2], votre congé est au bas de la page.

725 HERMOCRATE. – Seigneur Timagène, donnez vos ordres, et délivrez-nous de ces criailleries.

TIMAGÈNE. – Madame…

ARTHENICE. – Monsieur, je n'ai plus qu'un mot à dire, profitez-en ; il n'y a point de nation qui ne se plaigne des
730 défauts de son gouvernement ; d'où viennent-ils, ces défauts ? C'est que notre esprit manque à la terre dans l'institution de ses lois, c'est que vous ne faites rien de la moitié de l'esprit humain que nous avons, et que vous n'employez jamais que la vôtre, qui est la plus faible.

735 MADAME SORBIN. – Voilà ce que c'est, faute d'étoffe l'habit est trop court.

ARTHENICE. – C'est que le mariage qui se fait entre les hommes et nous devrait aussi se faire entre leurs pensées et les nôtres ; c'était l'intention des dieux, elle n'est pas
740 remplie, et voilà la source de l'imperfection des lois ; l'univers en est la victime et nous le servons en vous résistant. J'ai dit ; il serait inutile de me répondre, prenez votre parti, nous vous donnons encore une heure, après quoi la séparation est sans retour, si vous ne vous rendez pas ; suivez-moi,
745 Madame Sorbin, sortons.

MADAME SORBIN, *en sortant*. – Notre part d'esprit salue la vôtre.

---

1. **Pointe d'esprit** : bon mot, trait d'esprit.
2. **Édit** : décret, règlement.

Scène 14

M. Sorbin *rentre quand elles sortent;* tous les acteurs[1]
précédents, Persinet

Monsieur Sorbin, *arrêtant Mme Sorbin.* — Ah! je vous trouve
donc, Madame Sorbin, je vous cherchais.

Arthenice. — Finissez avec lui; je vous reviens prendre dans
750   le moment.

Monsieur Sorbin, *à Mme Sorbin.* — Vraiment, je suis très charmé
de vous voir, et vos déportements[2] sont tout à fait divertissants.

Madame Sorbin. — Oui, vous font-ils plaisir, Monsieur
Sorbin? Tant mieux, je n'en suis encore qu'au préambule.

755 Monsieur Sorbin. — Vous avez dit à ce garçon que vous ne
prétendiez plus fréquenter les gens de son étoffe; apprenez-
nous un peu la raison que vous entendez[3] par là.

Madame Sorbin. — Oui-da[4], j'entends tout ce qui vous
ressemble, Monsieur Sorbin.

760 Monsieur Sorbin. — Comment dites-vous cela, Madame la
cornette[5]?

Madame Sorbin. — Comme je le pense et comme cela tiendra,
Monsieur le chapeau.

Timagène. — Doucement, Madame Sorbin; sied-il[6] bien à
765   une femme aussi sensée que vous l'êtes de perdre jusque-là
les égards qu'elle doit à son mari?

---

1. Acteurs : personnages.
2. Déportements : mauvaise conduite.
3. Entendez : voulez dire.
4. Oui-da : oui (avec un effet d'insistance).
5. Cornette : coiffe de femme.
6. Sied-il : convient-il.

MADAME SORBIN. – À l'autre, avec son jargon d'homme[1]! C'est justement parce que je suis sensée que cela se passe ainsi. Vous dites que je lui dois, mais il me doit de même ; quand il me payera, je le payerai, c'est de quoi je venais l'accuser exprès.

PERSINET. – Eh bien, payez, Monsieur Sorbin, payez, payons tous.

MONSIEUR SORBIN. – Cette effrontée !

HERMOCRATE. – Vous voyez bien que cette entreprise ne saurait se soutenir[2].

MADAME SORBIN. – Le courage nous manquera peut-être ? Oh ! que nenni[3], nos mesures sont prises, tout est résolu[4], nos paquets sont faits.

TIMAGÈNE. – Mais où irez-vous ?

MADAME SORBIN. – Toujours tout droit.

TIMAGÈNE. – De quoi vivrez-vous ?

MADAME SORBIN. – De fruits, d'herbes, de racines, de coquillages, de rien ; s'il le faut, nous pêcherons, nous chasserons, nous redeviendrons sauvages, et notre vie finira avec honneur et gloire, et non pas dans l'humilité ridicule où l'on veut tenir des personnes de notre excellence.

PERSINET. – Et qui font le sujet de mon admiration.

HERMOCRATE. – Cela va jusqu'à la fureur. *(À M. Sorbin.)* Répondez-lui donc.

MONSIEUR SORBIN. – Que voulez-vous ? C'est une rage que cela, mais revenons au bon sens ; savez-vous, Madame Sorbin, de quel bois je me chauffe ?

---

1. Jargon d'homme : langage particulier aux hommes, difficilement compréhensible par les femmes.
2. Se soutenir : être défendue.
3. Que nenni : pas du tout.
4. Résolu : décidé.

Madame Sorbin. – Eh là! le pauvre homme avec son bois, c'est bien lui à parler de cela; quel radotage[1]!

Monsieur Sorbin. – Du radotage! à qui parlez-vous, s'il vous
795 plaît? Ne suis-je pas l'élu du peuple? Ne suis-je pas votre mari, votre maître, et le chef de la famille?

Madame Sorbin. – Vous êtes, vous êtes... Est-ce que vous croyez me faire trembler avec le catalogue de vos qualités que je sais mieux que vous? Je vous conseille de crier
800 gare[2]; tenez, ne dirait-on pas qu'il est juché sur l'arc-en-ciel? Vous êtes l'élu des hommes, et moi l'élue des femmes; vous êtes mon mari, je suis votre femme; vous êtes le maître, et moi la maîtresse; à l'égard du chef de famille, allons bellement[3], il y a deux chefs ici, vous êtes l'un, et
805 moi l'autre, partant[4] quitte à quitte[5].

Persinet. – Elle parle d'or, en vérité.

Monsieur Sorbin. – Cependant, le respect d'une femme...

Madame Sorbin. – Cependant le respect est un sot; finissons, Monsieur Sorbin, qui êtes élu, mari, maître et chef de
810 famille; tout cela est bel et bon; mais écoutez-moi pour la dernière fois, cela vaut mieux: nous disons que le monde est une ferme, les dieux là-haut en sont les seigneurs, et vous autres hommes, depuis que la vie dure, en avez toujours été les fermiers tout seuls, et cela n'est pas juste,
815 rendez-nous notre part de la ferme; gouvernez, gouver-

---

1. Radotage: propos plus ou moins cohérents et répétitifs.

2. Gare: attention. Aujourd'hui l'expression connue est « sans crier gare » : sans prévenir.

3. Bellement: doucement, calmement.

4. Partant: de ce fait.

5. Quitte à quitte: nous sommes quittes, nous sommes l'un et l'autre sur un pied d'égalité.

nons ; obéissez, obéissons ; partageons le profit et la perte ;
soyons maîtres et valets en commun ; faites ceci, ma
femme ; faites ceci, mon homme ; voilà comme il faut dire,
voilà le moule où il faut jeter les lois, nous le voulons, nous
820 le prétendons, nous y sommes butées[1] ; ne le voulez-vous
pas ? Je vous annonce, et vous signifie en ce cas, que votre
femme, qui vous aime, que vous devez aimer, qui est votre
compagne, votre bonne amie et non pas votre petite
servante, à moins que vous ne soyez son petit serviteur, je
825 vous signifie que vous ne l'avez plus, qu'elle vous quitte,
qu'elle rompt ménage et vous remet la clef du logis ; j'ai
parlé pour moi ; ma fille, que je vois là-bas et que je vais
appeler, va parler pour elle. Allons, Lina, approchez, j'ai
fait mon office, faites le vôtre, dites votre avis sur les affaires
830 du temps.

Scène 15

LES HOMMES ET LES FEMMES SUSDITS, PERSINET, LINA

LINA. — Ma chère mère, mon avis…

TIMAGÈNE. — La pauvre enfant tremble de ce que vous lui
faites faire.

MADAME SORBIN. — Vous en dites la raison, c'est que ce n'est
835 qu'une enfant : courage, ma fille, prononcez bien et parlez
haut[2].

---

1. Nous y sommes butées : nous y sommes décidées, et nous n'y reviendrons
pas.
2. Parlez haut : parlez à haute voix.

LINA. – Ma chère mère, mon avis, c'est, comme vous l'avez
dit, que nous soyons dames et maîtresses par égale portion
avec ces messieurs ; que nous travaillions comme eux à la
840   fabrique des lois, et puis qu'on tire, comme on dit, à la
courte paille pour savoir qui de nous sera roi ou reine ;
sinon, que chacun s'en aille de son côté, nous à droite, eux
à gauche, du mieux qu'on pourra. Est-ce là tout, ma mère ?

MADAME SORBIN. – Vous oubliez l'article[1] de l'amant ?

845   LINA. – C'est que c'est le plus difficile à retenir ; votre avis est
encore que l'amour n'est plus qu'un sot.

MADAME SORBIN. – Ce n'est pas mon avis qu'on vous demande,
c'est le vôtre.

LINA. – Hélas ! le mien serait d'emmener mon amant et son
850   amour avec nous.

PERSINET. – Voyez la bonté de cœur, le beau naturel pour
l'amour.

LINA. – Oui, mais on m'a commandé de vous déclarer un
adieu dont on ne verra ni le bout ni la fin.

855   PERSINET. – Miséricorde !

MONSIEUR SORBIN. – Que le ciel nous assiste ; en bonne foi,
est-ce là un régime de vie, notre femme ?

MADAME SORBIN. – Allons, Lina, faites la dernière révérence
à Monsieur Sorbin, que nous ne connaissons plus, et reti-
860   rons-nous sans retourner la tête.

Elles s'en vont.

---

1. **Article** : sujet.

Scène 16

TOUS LES ACTEURS [1] PRÉCÉDENTS

PERSINET. – Voilà une départie[2] qui me procure la mort, je
n'irai jamais jusqu'au souper.

HERMOCRATE. – Je crois que vous avez envie de pleurer,
865   Monsieur Sorbin?

MONSIEUR SORBIN. – Je suis plus avancé que cela, seigneur
Hermocrate, je contente mon envie.

PERSINET. – Si vous voulez voir de belles larmes et d'une belle
grosseur, il n'y a qu'à regarder les miennes.

870   MONSIEUR SORBIN. – J'aime ces extravagantes-là plus que je
ne pensais; il faudrait battre, et ce n'est pas ma manière de
coutume.

TIMAGÈNE. – J'excuse votre attendrissement.

PERSINET. – Qui est-ce qui n'aime pas le beau sexe[3]?

875   HERMOCRATE. – Laissez-nous, petit homme.

PERSINET. – C'est vous qui êtes le plus mutin[4] de la bande,
seigneur Hermocrate; car voilà Monsieur Sorbin qui est le
meilleur acabit[5] d'homme; voilà moi qui m'afflige à faire
plaisir; voilà le seigneur Timagène qui le trouve bon;
880   personne n'est tigre, il n'y a que vous ici qui portiez des
griffes, et sans vous, nous partagerions la ferme.

---

1. **Acteurs**: personnages.
2. **Départie**: départ.
3. **Le beau sexe**: les femmes.
4. **Mutin**: désobéissant, révolté.
5. **Acabit**: sorte.

HERMOCRATE. – Attendez, Messieurs, on en viendra à un accommodement[1], si vous le souhaitez, puisque les partis violents vous déplaisent ; mais il me vient une idée, voulez-
885   vous vous en fier à moi ?

TIMAGÈNE. – Soit, agissez, nous vous donnons nos pouvoirs.

MONSIEUR SORBIN. – Et même ma charge avec, si on me le permet.

HERMOCRATE. – Courez, Persinet, rappelez-les, hâtez-vous,
890   elles ne sont pas loin.

PERSINET. – Oh ! pardi, j'irai comme le vent, je saute comme un cabri.

HERMOCRATE. – Ne manquez pas aussi de m'apporter ici tout à l'heure une petite table et de quoi écrire.

895 PERSINET. – Tout subitement.

TIMAGÈNE. – Voulez-vous que nous nous retirions ?

HERMOCRATE. – Oui, mais comme nous avons la guerre avec les sauvages de cette île, revenez tous deux dans quelques moments nous dire qu'on les voit descendre en grand
900   nombre de leurs montagnes et qu'ils viennent nous atta-quer, rien que cela. Vous pouvez aussi amener avec vous quelques hommes qui porteront des armes, que vous leur présenterez pour le combat.

Persinet revient avec une table, où il y a de l'encre,
905   *du papier et une plume.*

PERSINET, *posant la table*. – Ces belles personnes me suivent, et voilà pour vos écritures, Monsieur le notaire ; tâchez de nous griffonner le papier sur ce papier.

TIMAGÈNE. – Sortons.

---

1. **Accommodement** : arrangement.

Scène 17

Hermocrate, Arthenice, Mme Sorbin

910 HERMOCRATE, *à Arthenice*. – Vous l'emportez, Madame, vous triomphez d'une résistance qui nous priverait du bonheur de vivre avec vous, et qui n'aurait pas duré longtemps si toutes les femmes de la colonie ressemblaient à la noble Arthenice ; sa raison, sa politesse, ses grâces et sa naissance

915 nous auraient déterminés bien vite ; mais à vous parler franchement, le caractère de Madame Sorbin, qui va partager avec vous le pouvoir de faire les lois, nous a d'abord arrêtés, non qu'on ne la croie femme de mérite à sa façon, mais la petitesse de sa condition[1], qui ne va pas ordinairement sans

920 rusticité[2], disent-ils…

MADAME SORBIN. – Tredame[3] ! ce petit personnage avec sa petite condition…

HERMOCRATE. – Ce n'est pas moi qui parle, je vous dis ce qu'on a pensé ; on ajoute même qu'Arthenice, polie comme

925 elle est, doit avoir bien de la peine à s'accommoder de vous.

ARTHENICE, *à part à Hermocrate*. – Je ne vous conseille pas de la fâcher.

HERMOCRATE. – Quant à moi, qui ne vous accuse de rien, je m'en tiens à vous dire de la part de ces messieurs que vous

930 aurez part à tous les emplois, et que j'ai ordre d'en dresser l'acte en votre présence ; mais, voyez avant que je commence, si vous avez encore quelque chose de particulier à demander.

---

1. **Condition** : condition sociale.
2. **Rusticité** : simplicité, manque de politesse.
3. **Tredame** : juron, abréviation de « Notre-Dame ».

ARTHENICE. — Je n'insisterai plus que sur un article[1].

MADAME SORBIN. — Et moi de même ; il y en a un qui me
935   déplaît, et que je retranche, c'est la gentilhommerie[2], je la
casse pour ôter les petites conditions[3] ; plus de cette baliverne[4]-là.

ARTHENICE. — Comment donc, Madame Sorbin, vous supprimez
les nobles ?

940 HERMOCRATE. — J'aime assez cette suppression.

ARTHENICE. — Vous, Hermocrate ?

HERMOCRATE. — Pardon, Madame, j'ai deux petites raisons
pour cela, je suis bourgeois et philosophe.

MADAME SORBIN. — Vos deux raisons auront contentement[5] ; je
945   commande, en vertu de ma pleine puissance, que les nommées
Arthenice et Sorbin soient tout un, et qu'il soit aussi beau de
s'appeler Hermocrate ou Lanturlu, que Timagène ; qu'est-ce
que c'est que des noms qui font des gloires ?

HERMOCRATE. — En vérité, elle raisonne comme Socrate[6] ;
950   rendez-vous, Madame, je vais écrire.

ARTHENICE. — Je n'y consentirai jamais ; je suis née avec un
avantage que je garderai, s'il vous plaît, Madame l'artisane.

MADAME SORBIN. — Eh ! allons donc, camarade, vous avez trop
d'esprit pour être mijaurée[7].

955 ARTHENICE. — Allez vous justifier de la rusticité dont on vous
accuse !

---

1. Article : sujet.

2. Gentilhommerie : noblesse.

3. Petites conditions : modestes conditions sociales.

4. Baliverne : sujet peu sérieux.

5. Contentement : satisfaction.

6. Socrate : philosophe grec de l'Antiquité (Ve siècle av. J.-C.).

7. Mijaurée : femme prétentieuse, aux manières peu naturelles.

MADAME SORBIN. – Taisez-vous donc, il m'est avis que je vois un enfant qui pleure après son hochet.

HERMOCRATE. – Doucement, Mesdames, laissons cet article-ci en litige[1], nous y reviendrons.

MADAME SORBIN. – Dites le vôtre, Madame l'élue, la noble.

ARTHENICE. – Il est un peu plus sensé que le vôtre, la Sorbin ; il regarde l'amour et le mariage ; toute infidélité déshonore une femme ; je veux que l'homme soit traité de même.

MADAME SORBIN. – Non, cela ne vaut rien, et je l'empêche.

ARTHENICE. – Ce que je dis ne vaut rien ?

MADAME SORBIN. – Rien du tout, moins que rien.

HERMOCRATE. – Je ne serais pas de votre sentiment là-dessus, Madame Sorbin ; je trouve la chose équitable, tout homme que je suis.

MADAME SORBIN. – Je ne veux pas, moi ; l'homme n'est pas de notre force, je compatis à sa faiblesse, le monde lui a mis la bride sur le cou[2] en fait de fidélité et je la lui laisse, il ne saurait aller autrement : pour ce qui est de nous autres femmes, de confusion nous n'en avons pas même assez, j'en ordonne encore une dose ; plus il y en aura, plus nous serons honorables, plus on connaîtra la grandeur de notre vertu.

ARTHENICE. – Cette extravagante !

MADAME SORBIN. – Dame, je parle en femme de petit état[3]. Voyez-vous, nous autres petites femmes, nous ne changeons ni d'amant ni de mari, au lieu que des dames il n'en est pas de même, elles se moquent de l'ordre et font comme les hommes ; mais mon règlement les rangera.

---

1. **En litige** : en débat, comme un sujet de conflit non résolu.
2. **Lui a mis la bride sur le cou** : l'a laissé libre de faire ce qu'il veut.
3. **Petit état** : modeste condition.

HERMOCRATE. – Que lui répondez-vous, Madame, et que faut-il
985   que j'écrive ?

ARTHENICE. – Eh ! le moyen de rien statuer avec cette harangère[1] ?

Scène 18

LES ACTEURS[2] PRÉCÉDENTS, TIMAGÈNE, M. SORBIN,
QUELQUES HOMMES *qui tiennent des armes*.

TIMAGÈNE, *à Arthenice*. – Madame, on vient d'apercevoir une
foule innombrable de sauvages qui descendent dans la
990   plaine pour nous attaquer ; nous avons déjà assemblé les
hommes ; hâtez-vous de votre côté d'assembler les femmes,
et commandez-nous aujourd'hui avec Madame Sorbin,
pour entrer en exercice des emplois militaires ; voilà des
armes que nous vous apportons.

995   MADAME SORBIN. – Moi, je vous fais le colonel de l'affaire. Les
hommes seront encore capitaines jusqu'à ce que nous sachions
le métier.

MONSIEUR SORBIN. – Mais venez du moins batailler.

ARTHENICE. – La brutalité de cette femme-là me dégoûte de
1000   tout, et je renonce à un projet impraticable avec elle.

MADAME SORBIN. – Sa sotte gloire me raccommode[3] avec
vous autres. Viens, mon mari, je te pardonne ; va te battre,
je vais à notre ménage.

---

1. Harangère : femme au langage grossier (à l'origine : marchande de harengs).
2. Acteurs : personnages.
3. Raccommode : réconcilie.

Timagène. – Je me réjouis de voir l'affaire terminée. Ne vous
1005   inquiétez point, Mesdames ; allez vous mettre à l'abri de la
guerre, on aura soin de vos droits dans les usages qu'on va
établir.

Anthologie
sur les utopies

En grec ancien, «utopie» signifie «nulle part». L'utopie est bien un lieu imaginaire, une construction de l'esprit. Les utopies littéraires héritent de l'idée judéo-chrétienne du jardin d'Eden, origine de l'humanité, autant que de l'espoir du salut, fin espérée de l'histoire. Pour tous ceux qui imaginent ces autres mondes, il s'agit surtout de réfléchir à notre monde. L'humanisme et les Lumières sont deux périodes où la réflexion sur la politique et la société prend souvent la forme d'utopies. Les écrivains et les philosophes, s'interrogeant sur les conditions du bonheur des hommes, décrivent des peuples qui n'ont pas quitté l'âge d'or : en harmonie avec la nature, ils ne connaissent pas les inégalités, les injustices, l'intolérance. Ces utopies mettent en question la société telle qu'elle est. Elles nous invitent à regarder avec lucidité le bonheur individuel et collectif comme un lointain horizon à atteindre. Au XXe siècle, l'idée de progrès est toutefois remise en question : les deux guerres mondiales nous font comprendre que la barbarie est une menace jamais définitivement conjurée. L'utopie, rêve d'une société dans laquelle l'individu s'effacerait derrière les exigences de la communauté, porte sûrement toujours en germe le risque d'une dérive totalitaire. Notre époque contemporaine, qui regarde l'utopie avec méfiance, se trouve peut-être face au défi de la réenchanter.

■ Des utopies humanistes (XVIe siècle)

Au XVIe siècle, les hommes découvrent d'autres mondes : les récits de voyages leur donnent l'occasion de s'interroger sur ces «sauvages» d'Amérique, peut-être plus civilisés que ceux qui les condamnent, prisonniers de sanglantes guerres de religion. L'autre monde, c'est aussi celui que les écrivains s'inventent, mieux organisé, plus heureux et plus libre.

Texte 1

SATIRE

THOMAS MORE, *Utopie* (1516), trad. A. Prévost © Mame, 1978

L'utopie est un genre créé par Thomas More (1478-1535), humaniste
anglais. En 1516, dans Utopie, *il imagine une île sur laquelle*
les aménagements urbains permettraient aux habitants de vivre
mieux.

La ville est reliée à l'autre rive du fleuve par un pont qui
repose non pas sur des piliers et des pilotis[1] de bois mais sur de
remarquables arcades de pierre. Situé à l'endroit le plus éloigné
de la mer, il permet aux navires de desservir entièrement et sans
risque le côté de la ville baigné par le fleuve. Il existe d'ailleurs
un autre cours d'eau, pas très grand celui-là, mais parfaitement
tranquille et bien agréable. En effet, jailli du flanc de la colline
sur laquelle est située la ville, il suit la pente du terrain et coupe
la cité en son milieu avant de mêler ses eaux à celles de l'Anhydre[2]. […]

Une ceinture de murailles hautes et épaisses, garnies de tours
et d'ouvrages militaires nombreux, fait de la ville une place forte :
un fossé sans eau, mais profond et large, rendu impraticable par
des haies d'épines, entoure les fortifications de trois côtés ; du
quatrième côté, c'est le fleuve qui tient lieu de fossé.

Le tracé des rues répond au désir de faciliter la circulation et
d'assurer la protection contre le vent. Les édifices sont loin d'apparaître sordides, lorsque, sur toute la longueur de la rue, se déploie
au regard la double file ininterrompue des façades. Côté rue, les
maisons sont séparées par une voie large de vingt pieds[3] ; côté
cour, sur la même longueur de la rue, les demeures sont bordées
par un jardin spacieux, fermé de tous côtés par la façade intérieure
des rangées de constructions. […]

---

1. Pilotis : pieux soutenant une construction au-dessus de l'eau.
2. L'Anhydre (étymologiquement : « sans eau ») est le fleuve qui traverse Utopie.
3. Vingt pieds : environ 6 mètres.

25 Ils font grand cas des jardins où ils cultivent la vigne, les arbres fruitiers, les plantes potagères, les fleurs. Ces jardins sont d'une telle beauté et sont l'objet de soins si attentifs que je n'ai jamais rien vu de plus luxuriant ni de meilleur goût.

Texte 2

ROMAN

FRANÇOIS RABELAIS, *Gargantua* (1534) ♦ chap. LVII (version modernisée)

Dans Gargantua*, Rabelais (vers 1483-1533) imagine une abbaye idéale, l'abbaye de Thélème, organisée de manière radicalement différente des abbayes traditionnelles : ses membres, issus d'une élite, pourront y vivre sans contrainte, dans le bonheur.*

Toute leur vie était organisée non par des lois, des statuts ou des règles, mais selon leur vouloir et franc-arbitre[1]. Ils se levaient du lit quand bon leur semblait, buvaient, mangeaient, travaillaient, dormaient quand le désir leur venait ; nul ne les éveillait, nul ne

5 les forçait ni à boire, ni à manger, ni à faire autre chose. Ainsi l'avait établi Gargantua. En leur règle n'était que cette clause :

« Fais ce que voudras »,

parce que les gens libres, bien nés, biens instruits, conversant en compagnie honnête, ont par nature un instinct et un aiguillon[2]

10 qui toujours les pousse à accomplir des faits vertueux et les éloigne du vice, aiguillon qu'ils nommaient honneur. Quand une vile servitude ou une contrainte les font déchoir[3] et les assujettissent[4], ils emploient cette noble inclination, par laquelle ils tendaient librement vers la vertu, à repousser et à enfreindre ce joug[5] de la

15 servitude ; car nous entreprenons toujours les choses défendues et convoitons ce qui nous est refusé.

---

1. Franc arbitre : libre-arbitre.
2. Aiguillon : stimulation.
3. Déchoir : perdre leur dignité.
4. Assujettissent : asservissent, privent de leur liberté.
5. Joug : domination.

Grâce à cette liberté, ils entrèrent en louable émulation[1] de faire tous ensemble ce qu'ils voyaient plaire à un seul. Si l'un ou l'une d'entre eux disait : « Buvons », tous buvaient ; s'il disait :
20 « Jouons », tous jouaient. S'il disait : « Allons nous ébattre aux champs », tous y allaient. […]

Ils étaient si noblement instruits qu'il n'y en avait aucun qui ne sût lire, écrire, chanter, jouer d'instruments de musique, parler cinq ou six langues et composer en ces langues autant en vers
25 qu'en prose. Jamais ne furent vus chevaliers si preux, de si belle allure, si adroits à pied et à cheval, si vigoureux, plus alertes et plus aptes à manier toutes sortes d'armes. Jamais ne furent vues dames si élégantes, si mignonnes, moins acariâtres, plus adroites aux travaux manuels, à la broderie, et à toute occupation conve-
30 nant à une femme honnête et libre.

■ Les utopies sous la menace de l'absolutisme (XVIIᵉ siècle)

Dans un siècle dominé par la pensée chrétienne, l'autre monde ne peut qu'être le Paradis. Les utopies sont donc assez peu nombreuses. On se méfie également de leur portée critique. Quelques utopies se développent toutefois, soit aux marges de la littérature classique, dans les œuvres libertines, soit pour des raisons pédagogiques.

Texte 3

ROMAN LIBERTIN

CYRANO DE BERGERAC, *L'Autre Monde, ou les États et empires de la Lune* (posthume, 1657)

Le personnage et narrateur de L'Autre Monde, *de Cyrano de Bergerac (1619-1655), arrive sur la Lune, dans un lieu idéal, qu'il compare au*

---

1. Émulation : rivalité, concurrence (dans un sens positif).

*« paradis terrestre ». Pour le libertin, qui met à distance les croyances,
c'est l'occasion de livrer une réécriture parodique de la Genèse[1].*

Par bonheur, ce lieu-là était, comme vous le saurez bientôt, le
paradis terrestre, et l'arbre sur lequel je tombai se trouva justement l'arbre de vie. Ainsi vous pouvez bien juger que sans ce
hasard, je serais mille fois mort. J'ai souvent fait depuis réflexion
5 sur ce que le vulgaire[2] assure qu'en se précipitant d'un lieu fort
haut, on est étouffé auparavant de[3] toucher la terre ; et j'ai conclu
de mon aventure qu'il en avait menti, ou bien qu'il fallait que le
jus énergique de ce fruit[4], qui m'avait coulé dans la bouche, eût
rappelé mon âme qui n'était pas loin de mon cadavre, encore tout
10 tiède, et encore disposé aux fonctions de la vie. En effet, sitôt que
je fus à terre ma douleur s'en alla avant même de se peindre en ma
mémoire ; et la faim, dont pendant mon voyage j'avais été beaucoup travaillé[5], ne me fit trouver en sa place qu'un léger souvenir
de l'avoir perdue.

15 À peine, quand je fus relevé, eus-je observé les bords de la
plus large des quatre grandes rivières qui forment un lac en la
bouchant, que l'esprit ou l'âme invisible des simples[6] qui s'ex-
halent sur cette contrée me vint réjouir l'odorat ; et les petits
cailloux n'étaient raboteux et durs qu'à la vue, ils avaient soin de
20 s'amollir quand on marchait dessus. [...]

Là de tous côtés, les fleurs sans avoir eu d'autre jardinier que
la nature, respirent une haleine sauvage qui réveille et satisfait
l'odorat ; là l'incarnat[7] d'une rose sur l'églantier, et l'azur éclatant

---

1. Genèse : premier livre de l'Ancien Testament, texte sacré qui évoque l'histoire
des Juifs avant la naissance de Jésus.

2. Le vulgaire : le peuple, les gens peu instruits.

3. Auparavant de : avant de.

4. Il s'agit d'une pomme.

5. Dont j'avais été beaucoup travaillé : dont j'avais beaucoup souffert.

6. Simples : plantes utilisées comme remèdes.

7. Incarnat : rouge clair et vif.

25 d'une violette sous des ronces, ne laissant point de liberté pour le choix, vous font juger qu'elles sont toutes deux plus belles l'une que l'autre ; là le printemps compose toutes les saisons [...].

Il faut que je vous avoue qu'à la vue de tant de belles choses, je me sentis chatouillé de ces agréables douleurs qu'on dit que sent l'embryon à l'infusion de son âme[1]. Le vieux poil me tomba pour 30 faire place à d'autres cheveux plus épais et plus déliés. Je sentis ma jeunesse se rallumer, mon visage devenir vermeil[2], ma chaleur naturelle[3] se remêler doucement à mon humide radicale ; enfin je reculai sur mon âge environ quatorze ans.

Texte 4

ROMAN DIDACTIQUE

FÉNELON, *Les Aventures de Télémaque, fils d'Ulysse* (1699) ♦ septième livre

Les Aventures de Télémaque de Fénelon (1651-1715), précepteur du duc de Bourgogne, est un roman destiné à instruire le petit-fils de Louis XIV. Au cours de son voyage initiatique, Télémaque étudie le mode de vie en Bétique, société utopique, étrangère au luxe et à la corruption. C'est Adoam, frère d'un capitaine de navire, qui la lui décrit.

Les hommes n'ont d'autres arts à exercer, outre la culture des terres et la conduite des troupeaux, que l'art de mettre le bois et le fer en œuvre ; encore même ne se servent-ils guère du fer, excepté pour les instruments nécessaires au labourage. Tous les arts qui 5 regardent l'architecture leur sont inutiles ; car ils ne bâtissent jamais de maison. [...]

---

1. L'embryon à l'infusion de son âme : l'embryon, lorsque l'âme est infusée (c'est-à-dire introduite) en lui. Cela renvoie à l'idée selon laquelle l'âme rejoindrait le corps de l'embryon, à un stade précoce de son développement.
2. Vermeil : rouge vif.
3. Chaleur naturelle : la chaleur de la vie, qui doit se mêler à son « humide radicale », principe qui donne sa souplesse au corps et qui sert à alimenter le feu de la vie.

Quand on leur parle des peuples qui ont l'art de faire des bâtiments superbes, des meubles d'or et d'argent, des étoffes ornées de broderies et de pierres précieuses, des parfums exquis, des mets délicieux, des instruments dont l'harmonie charme, ils répondent en ces termes : « Ces peuples sont bien malheureux d'avoir employé tant de travail et d'industrie à se corrompre eux-mêmes ! Ce superflu amollit, enivre, tourmente ceux qui le possèdent : il tente ceux qui en sont privés de vouloir l'acquérir par l'injustice et par la violence. Peut-on nommer bien un superflu qui ne sert qu'à rendre les hommes mauvais ? Les hommes de ces pays sont-ils plus sains et plus robustes que nous ? Vivent-ils plus longtemps ? Sont-ils plus unis entre eux ? Mènent-ils une vie plus libre, plus tranquille, plus gaie ? Au contraire, ils doivent être jaloux les uns des autres, rongés par une lâche et noire envie, toujours agités par l'ambition, par la crainte, par l'avarice, incapables des plaisirs purs et simples, puisqu'ils sont esclaves de tant de fausses nécessités dont ils font dépendre tout leur bonheur. »

— C'est ainsi, continuait Adoam, que parlent ces hommes sages, qui n'ont appris la sagesse qu'en étudiant la simple nature. [...] Ils sont tous libres et tous égaux. On ne voit parmi eux aucune distinction que celle qui vient de l'expérience des sages vieillards ou de la sagesse extraordinaire de quelques jeunes hommes qui égalent les vieillards consommés[1] en vertu. La fraude, la violence, le parjure[2], les procès, les guerres ne font jamais entendre leur voix cruelle et empestée[3] dans ce pays chéri des dieux. Jamais le sang humain n'a rougi cette terre ; à peine y voit-on couler celui des agneaux.

---

1. **Consommés** : parfaits, parvenus au plus haut niveau.
2. **Parjure** : trahison de la parole donnée.
3. **Empestée** : maudite.

■ Les utopies des Lumières (XVIIIᵉ siècle)

Au XVIIIᵉ siècle, l'affaiblissement de la monarchie absolue favorise l'émergence d'une parole critique sur la politique et la société. Les injustices apparaissent de plus en plus comme intolérables : les privilèges de quelques-uns, fondés sur la seule naissance, deviennent inacceptables au regard des difficultés de la majorité. L'utopie est un mode d'argumentation indirect qui permet de dénoncer ces inégalités et l'intolérance, encore dominante. Elle permet de contourner la censure et de divertir les lecteurs, tout en éclairant les esprits.

Texte 5

COMÉDIE SOCIALE

MARIVAUX, *L'Île de la raison* (1727) ◆ acte I, scène 2

L'Île de la raison, ou les Petits Hommes n'a pas été une pièce très appréciée par le public : elle était en effet difficile à représenter. Mais elle appartient aux comédies sociales de Marivaux (1688-1763). Elle présente des Européens naufragés sur une île et devenus tout petits. La règle de l'île est simple : ils grandiront lorsqu'ils seront devenus raisonnables.

Acte I, scène 2

Les huit Européens, *consternés.*

BLAISE. – Morgué, que nous velà jolis garçons !

LE POÈTE. – Que signifie tout cela ? quel sort que le nôtre !

LA COMTESSE. – Mais, Messieurs, depuis six mois que nous avons été pris par cet insulaire[1] qui vient de nous mettre ici, que vous
5   est-il arrivé ? Car il nous avait séparés, quoique nous fussions dans la même maison. Vous a-t-il regardés comme des créatures raisonnables, comme des hommes ?

TOUS, *soupirant.* – Ah !

LA COMTESSE. – J'entends[2] cette réponse-là.

---

1. Insulaire : habitant de l'île.
2. J'entends : je comprends.

10 BLAISE. – Quant à ce qui est de moi, noute geoulier[1], sa femme et
ses enfants, ils me regardiont tous ni plus ni moins comme un
animal. Ils m'appeliont noute ami quatre pattes ; ils preniont
mes mains pour des pattes de devant, et mes pieds pour celles
de darrière.

15 FONTIGNAC, *gascon*. – Ils ont essayé dé mé nourrir dé graine.

LA COMTESSE. – Ils ne me prenaient point non plus pour une fille.
[...]

BLAISE. – Je me sens d'un rapetissement, d'une corpusculence si
chiche, je sis si diminué, si chu que je prenrais de bon cœur
20 une lantarne pour me charcher. Je vois bian que vous êtes
aplatis itou ; mais me voyez-vous comme je vous vois, vous
autres ?

FONTIGNAC. – Tu l'as dit, paubre éperlan[2]. Et dé moi, que t'en
semble ?

25 BLAISE. – Vous ? Ou êtes de la taille d'un goujon[3]. [...]

LE PHILOSOPHE. – Je ne saurais croire que notre petitesse soit
réelle : il faut que l'air de ce pays-ci ait fait une révolution dans
nos organes, et qu'il soit arrivé quelque accident à notre rétine,
en vertu duquel nous nous croyons petits.

30 LE COURTISAN. – La mort vaudrait mieux que l'état où nous sommes.

BLAISE. – Ah ! ma foi, ma parsonne est bian diminuée ; mais j'aime
encore mieux le petit morciau qui m'en reste, que de n'en avoir
rian du tout : mais tenez, velà apparemment le gouverneux
d'ici qui nous lorgne avec une leunette.

---

1. **Noute geoulier** : notre geôlier, dans la langue populaire de Blaise, c'est-à-dire
celui qui nous tient prisonniers.
2. **Éperlan** : poisson marin proche du saumon, mais d'assez petite taille.
3. **Goujon** : poisson d'eau douce, de petite taille.

Texte 6

ROMAN ÉPISTOLAIRE

MONTESQUIEU, *Lettres persanes* (1721) ◆ lettre 12

Dans cet extrait des Lettres persanes, *roman épistolaire de Montesquieu (1689-1755), Usbek, le Persan, écrit à Mirza, un ami resté en Perse. Il lui explique ce que serait pour lui une société organisée selon des principes d'égalité et de justice, en décrivant le mode de vie des Troglodytes.*

Tu as vu, mon cher Mirza, comment les Troglodytes[1] périrent par leur méchanceté même, et furent les victimes de leurs propres injustices. De tant de familles, il n'en resta que deux qui échappèrent aux malheurs de la nation. Il y avait dans ce pays deux hommes bien singuliers : ils avaient de l'humanité ; ils connaissaient la justice ; ils aimaient la vertu. Autant liés par la droiture de leur cœur que par la corruption de celui des autres, ils voyaient la désolation générale, et ne la ressentaient que par la pitié : c'était le motif d'une union nouvelle. Ils travaillaient avec une sollicitude commune pour l'intérêt commun ; ils n'avaient de différends[2] que ceux qu'une douce et tendre amitié faisait naître ; et, dans l'endroit du pays le plus écarté, séparés de leurs compatriotes indignes de leur présence, ils menaient une vie heureuse et tranquille : la terre semblait produire d'elle-même, cultivée par ces vertueuses mains.

Ils aimaient leurs femmes, et ils en étaient tendrement chéris. Toute leur attention était d'élever leurs enfants à la vertu. Ils leur représentaient sans cesse les malheurs de leurs compatriotes et leur mettaient devant les yeux cet exemple si triste ; ils leur faisaient surtout sentir que l'intérêt des particuliers se trouve toujours dans l'intérêt commun ; que vouloir s'en séparer, c'est vouloir se perdre ; que la vertu n'est point une chose qui doive nous coûter ; qu'il ne faut point la regarder comme un exercice pénible ; et que la justice pour autrui est une charité pour nous.

___

1. Troglodytes : ancien peuple, décrit par Hérodote, historien grec. Mais la description de Montesquieu n'a aucun fondement historique.
2. Différends : désaccords.

25 Ils eurent bientôt la consolation des pères vertueux, qui est d'avoir des enfants qui leur ressemblent. Le jeune peuple qui s'éleva sous leurs yeux s'accrut par d'heureux mariages : le nombre augmenta, l'union fut toujours la même ; et la vertu, bien loin de s'affaiblir dans la multitude, fut fortifiée, au contraire, par un plus grand nombre d'exemples.

30 Qui pourrait représenter ici le bonheur de ces Troglodytes ? Un peuple si juste devait être chéri des dieux. Dès qu'il ouvrit les yeux pour les connaître, il apprit à les craindre ; et la religion vint adoucir dans les mœurs ce que la nature y avait laissé de trop rude.

Texte 7

CONTE PHILOSOPHIQUE

VOLTAIRE, *Candide* (1759) ♦ chap. XVIII

Dans ce conte philosophique, Voltaire (1694-1778) fait le récit des aventures de Candide, jeune homme naïf qui, après avoir été chassé d'un château idéal de Westphalie, découvre la violence des hommes. L'Eldorado, utopie du Nouveau Monde, lui offre une pause merveilleuse, à laquelle il finira pourtant par mettre un terme. Dans l'extrait suivant, Candide et son valet Cacambo rencontrent le roi.

Quand ils approchèrent de la salle du trône, Cacambo demanda à un grand officier comment il fallait s'y prendre pour saluer Sa Majesté : si on se jetait à genoux ou ventre à terre ; si on mettait les mains sur la tête ou sur le derrière ; si on léchait la poussière de la
5 salle : en un mot, quelle était la cérémonie. « L'usage, dit le grand-officier, est d'embrasser le roi et de le baiser des deux côtés. » Candide et Cacambo sautèrent au cou de Sa Majesté, qui les reçut avec toute la grâce imaginable, et qui les pria poliment à souper.

En attendant, on leur fit voir la ville, les édifices publics élevés
10 jusqu'aux nues, les marchés ornés de mille colonnes, les fontaines d'eau pure, les fontaines d'eau rose, celles de liqueurs de cannes de sucre qui coulaient continuellement dans de grandes places pavées

d'une espèce de pierreries qui répandaient une odeur semblable à celle du girofle et de la cannelle. Candide demanda à voir la cour de
15 justice, le parlement ; on lui dit qu'il n'y en avait point, et qu'on ne plaidait jamais. Il s'informa s'il y avait des prisons, et on lui dit que non. Ce qui le surprit davantage, et qui lui fit le plus de plaisir, ce fut le palais des sciences, dans lequel il vit une galerie de deux mille pas[1], toute pleine d'instruments de mathématiques et de physique.
20 Après avoir parcouru toute l'après-dînée[2] à peu près la millième partie de la ville, on les ramena chez le roi. Candide se mit à table entre Sa Majesté, son valet Cacambo, et plusieurs dames. Jamais on ne fit meilleure chère[3], et jamais on n'eut plus d'esprit à souper qu'en eut Sa Majesté. Cacambo expliquait les bons mots du roi à Candide
25 et, quoique traduits, ils paraissaient toujours des bons mots. De tout ce qui étonnait Candide, ce n'était pas ce qui l'étonna le moins.

Ils passèrent un mois dans cet hospice[4].

Texte 8

ROMAN D'ANTICIPATION

LOUIS-SÉBASTIEN MERCIER, *L'An 2440, rêve s'il en fut jamais* (1786) ♦ chap. XXII

*Louis-Sébastien Mercier (1740-1814) est l'auteur du premier roman d'anticipation moderne. Le roman est une utopie, qui nous transporte en outre dans une époque différente (uchronie). C'est l'occasion, pour Mercier, de critiquer les mœurs de la société du XVIII*e *siècle, et en particulier l'esclavage, symbole de l'orgueil des Européens.*

Je sortais de cette place, lorsque vers la droite j'aperçus sur un magnifique piédestal un nègre[5], la tête nue, le bras tendu, l'œil

---

1. Pas : unité de mesure de longueur équivalant environ à 75 cm.
2. Après-dînée : après-midi (le dîner était le repas de midi).
3. Jamais on ne fit meilleure chère : jamais on ne fit un aussi bon repas.
4. Hospice : refuge, lieu où l'on est accueilli.
5. À l'époque, le terme n'est pas péjoratif. Il désigne simplement des hommes à la peau noire.

fier, l'attitude noble, imposante. Autour de lui étaient les débris
de vingt sceptres[1] ; à ses pieds on lisait ces mots : Au vengeur du
nouveau monde !

Je jetai un cri de surprise et de joie. – Oui, me répondit-on avec
une chaleur égale à mes transports ; la nature a enfin créé cet
homme étonnant, cet homme immortel, qui devait délivrer un
monde de la tyrannie la plus atroce, la plus longue, la plus insul-
tante. Son génie, son audace, sa patience, sa fermeté, sa vertueuse
vengeance ont été récompensés : il a brisé les fers[2] de ses compatriotes. Tant d'esclaves opprimés sous le plus odieux esclavage
semblaient n'attendre que son signal pour former autant de héros.
Le torrent qui brise ses digues, la foudre qui tombe, ont un effet
moins prompt, moins violent. Dans le même instant ils ont versé
le sang de leurs tyrans. Français, Espagnols, Anglais, Hollandais,
Portugais, tout a été la proie du fer, du poison et de la flamme. La
terre de l'Amérique a bu avec avidité ce sang qu'elle attendait
depuis longtemps, et les ossements de leurs ancêtres lâchement
égorgés ont paru s'élever alors et tressaillir de joie.

Les naturels[3] ont repris leurs droits imprescriptibles[4], puisque
c'étaient ceux de la nature. Cet héroïque vengeur a rendu libre un
monde dont il est le dieu, et l'autre lui a décerné des hommages et
des couronnes. Il est venu comme l'orage qui s'étend sur une ville
criminelle que ses foudres vont écraser. Il a été l'ange exterminateur
à qui le dieu de justice avait remis son glaive : il a donné l'exemple
que tôt ou tard la cruauté sera punie, et que la providence[5] tient en
réserve de ces âmes fortes qu'elle déchaîne sur la terre pour rétablir
l'équilibre que l'iniquité[6] de la féroce ambition a su détruire.

---

1. Sceptres : bâtons, symboles du pouvoir.
2. Fers : entraves.
3. Les naturels : hommes vivant à l'état de nature.
4. Imprescriptibles : que l'on ne peut leur enlever.
5. Providence : Dieu, en tant que sage gouvernant du monde.
6. Iniquité : injustice.

■ La croyance au progrès (XIXe siècle)

Au XIXe siècle, le progrès des sciences et des techniques incite certains penseurs à croire qu'un monde nouveau va advenir. L'industrie est censée donner à tous du travail et les satisfactions essentielles à l'existence. Les insuffisances de la nature pourront même être corrigées, si nécessaire. Mais ce progrès peut aussi inquiéter : dans ce monde dominé par les sciences, l'homme semble peiner à trouver sa place. L'idéal humaniste s'est éloigné.

Texte 9

ROMAN D'ANTICIPATION

JULES VERNE, *Les Cinq Cents Millions de la bégum* (1879)

Dans son roman, Jules Verne (1828-1905) évoque les projets de deux hommes héritiers de 500 millions d'une begum[1] : le docteur Sarrasin, qui construit Franceville, une ville idéale ; et le professeur Schultze, qui fait de Stahlstadt une cité vouée à la construction de canons. À Stahlstadt, le progrès est synonyme de mort.

Cette masse est Stahlstadt, la Cité de l'Acier, la ville allemande, la propriété personnelle de Herr Schultze, l'ex-professeur de chimie d'Iéna, devenu, de par les millions de la Bégum, le plus grand travailleur du fer et, spécialement, le plus grand fondeur de
5   canons des deux mondes.

Il en fond, en vérité, de toutes formes et de tout calibre, à âme lisse et à raies, à culasse mobile et à culasse fixe, pour la Russie et pour la Turquie, pour la Roumanie et pour le Japon, pour l'Italie et pour la Chine, mais surtout pour l'Allemagne.

10   Grâce à la puissance d'un capital énorme, un établissement monstre, une ville véritable, qui est en même temps une usine modèle, est sortie de terre comme à un coup de baguette. Trente mille travailleurs, pour la plupart allemands d'origine, sont venus

---

1. **Bégum** : riche épouse favorite d'un sultan.

se grouper autour d'elle et en former les faubourgs. En quelques
mois, ses produits ont dû à leur écrasante supériorité une célébrité
universelle.

Le professeur Schultze extrait le minerai de fer et la houille[1] de
ses propres mines. Sur place, il les transforme en acier fondu. Sur
place, il en fait des canons. [...]

En arrivant sous les murailles mêmes de Stahlstadt, n'essayez
pas de franchir une des portes massives qui coupent de distance
en distance la ligne des fossés et des fortifications. La consigne la
plus impitoyable vous repousserait. Il faut descendre dans l'un des
faubourgs. Vous n'entrerez dans la Cité de l'Acier que si vous avez
la formule magique, le mot d'ordre, ou tout au moins une autorisation dûment timbrée, signée et paraphée.

Texte 10

ROMAN

**AUGUSTE DE VILLIERS DE L'ISLE-ADAM, *L'Ève future* (1886) ♦ livre II,
chap. IV**

*Lord Ewald est amoureux d'une femme très belle, mais dotée d'un
esprit médiocre. Edison, dont Villiers de L'Isle-Adam (1838-1889)
fait un savant fou, propose de lui venir en aide en donnant vie à une
créature artificielle à la fois parfaite physiquement et intelligente,
l'Ève future.*

« Je vais vous démontrer, mathématiquement et à l'instant
même, comment, avec les formidables ressources actuelles de la
Science, – et ceci d'une manière glaçante peut-être, mais indubi-
table, – comment je puis, dis-je, me saisir de la grâce même de
son geste, des plénitudes de son corps, de la senteur de sa chair,
du timbre de sa voix, du ployé de sa taille, de la lumière de ses
yeux, du *reconnu* de ses mouvements et de sa démarche, de la
personnalité de son regard, de ses traits, de son ombre sur le sol,

---

1. Houille : charbon.

de son *apparaître*, du reflet de son Identité, enfin. – Je serai le
meurtrier de sa sottise, l'assassin de son animalité triomphante.
Je vais, d'abord, réincarner toute cette extériorité, qui vous est si
délicieusement mortelle[1], en une Apparition dont la ressemblance et le charme HUMAINS dépasseront votre espoir et tous vos
rêves! Ensuite, *à la place de cette âme, qui vous rebute dans la vivante,
j'insufflerai une autre sorte d'âme*, moins consciente d'elle-même,
peut-être (– et encore, qu'en savons-nous ? et qu'importe! –),
mais suggestive d'impressions mille fois plus belles, plus nobles,
plus élevées, c'est-à-dire revêtues de ce caractère d'éternité sans
lequel tout n'est que comédie chez les vivants. Je reproduirai
strictement, je dédoublerai cette femme, à l'aide sublime de la
Lumière! Et, la projetant sur sa MATIÈRE RADIANTE, j'illuminerai
de votre mélancolie l'âme imaginaire de cette créature nouvelle,
capable d'étonner des anges. Je terrasserai l'Illusion! Je l'emprisonnerai. Je forcerai, dans cette vision, l'Idéal lui-même à se
manifester, pour la première fois, à *vos sens*, PALPABLE, AUDIBLE ET
MATÉRIALISÉ. J'arrêterai, au plus profond de son vol, la première
heure de ce mirage enchanté que vous poursuivez en vain, dans
vos souvenirs! Et, la fixant presque immortellement, entendez-
vous ? dans la seule et véritable forme où vous l'avez entrevue, je
tirerai la vivante à un second exemplaire, et transfigurée selon vos vœux!
[…] Enfin, pour vous racheter l'être, je prétends pouvoir – et vous
prouver d'avance, encore une fois, que positivement je le puis –
faire sortir du limon[2] de l'actuelle Science Humaine un Être *fait
à notre image*, et qui nous sera, par conséquent, CE QUE NOUS
SOMMES À DIEU. »

Et l'électricien, faisant serment, leva la main

---

1. Mortelle : qui vous fait souffrir, tout en vous séduisant.
2. Limon : boue.

■ Le triomphe des contre-utopies ? (XXᵉ siècle)

À l'époque contemporaine, les écrivains mettent souvent en évidence les limites des idéologies qui se fixent pour objectif de faire advenir un monde nouveau, en s'appuyant sur des hommes nouveaux. Les totalitarismes ont tragiquement démontré qu'ils constituaient une menace pour la civilisation et l'idée même que l'on se faisait de l'humanité. L'espoir du bonheur pour tous est perçu comme une illusion, presque inquiétante, et le progrès comme une croyance, qu'il importe de regarder avec prudence. Au XXᵉ siècle, l'utopie a laissé sa place à la contre-utopie. L'histoire ne semble plus autoriser les écrivains à penser l'idéal.

Texte 11

ROMAN D'ANTICIPATION

ALDOUS HUXLEY, *Le Meilleur des mondes* (1932), trad. J. Castier

Dans son roman, dont le titre est une allusion à l'ironie de Voltaire, dans Candide, *face à l'optimisme de Pangloss (qui ne cesse de dire que « tout est pour le mieux dans le meilleur des mondes possibles »), Aldous Huxley (1894-1963) développe une contre-utopie. L'extrait constitue l'incipit du roman. Il fait de la reproduction un enjeu essentiel de la société totalitaire décrite par l'auteur.*

Un bâtiment gris et trapu de trente-quatre étages seulement. Au-dessus de l'entrée principale, les mots : CENTRE D'INCUBATION ET DE CONDITIONNEMENT DE LONDRES-CENTRAL, et, dans un écusson, la devise de l'État mondial : COMMUNAUTÉ, IDENTITÉ, STABILITÉ.

5 L'énorme pièce du rez-de-chaussée était exposée au nord. En dépit de l'été qui régnait au-delà des vitres, en dépit de toute la chaleur tropicale de la pièce elle-même, ce n'étaient que de maigres rayons d'une lumière crue et froide qui se déversaient par les fenêtres. Les blouses des travailleurs étaient blanches, leurs mains,
10 gantées de caoutchouc pâle, de teinte cadavérique. La lumière était gelée, morte, fantomatique. Ce n'est qu'aux cylindres jaunes

des microscopes qu'elle empruntait un peu de substance riche et vivante, étendue le long des tubes comme du beurre.

— Et ceci, dit le Directeur, ouvrant la porte, c'est la Salle de
15 Fécondation. [...]

— Je vais commencer par le commencement, dit le D.I.C[1], et les étudiants les plus zélés notèrent son intention dans leur cahier : *Commencer au commencement.* — Ceci — il agita la main — ce sont les couveuses. Et, ouvrant une porte de protection thermique, il leur
20 montra des porte-tubes empilés les uns sur les autres et pleins de tubes à essais numérotés. — L'approvisionnement d'ovules pour la semaine. Maintenus, expliqua-t-il, à la température du sang ; tandis que les gamètes mâles — et il ouvrit alors une autre porte — doivent être gardés à trente-cinq degrés, au lieu de trente-sept. La
25 pleine température du sang stérilise. Des béliers, enveloppés de thermogène[2], ne procréent pas d'agneaux.

[...] Sa voix était presque vibrante d'enthousiasme. — On sait vraiment où l'on va. Pour la première fois dans l'histoire. — Il cita la devise planétaire : « Communauté, Identité, Stabilité. » Des
30 mots grandioses. Si nous pouvions bokanovskifier[3] indéfiniment, tout le problème serait résolu.

ROMAN D'ANTICIPATION

GEORGE ORWELL, *1984* (1949), trad. A. Audiberti © Éditions Gallimard ♦ première partie, chap. I

George Orwell (1903-1950) s'est opposé au nazisme et au stalinisme. Dans 1984, *il invente la figure de Big Brother (« grand frère »), symbole du totalitarisme. Winston, le Londonien, sait qu'il est susceptible d'être espionné à tout moment par la police de la pensée.*

1. D.I.C : Directeur de l'Incubation et du Conditionnement.
2. Thermogène : matière qui génère de la chaleur.
3. La « bokanovskification » est un procédé utilisé pour créer des individus identiques à partir d'un seul œuf.

À chaque palier, sur une affiche collée au mur, face à la cage de l'ascenseur, l'énorme visage vous fixait du regard. C'était un de ces portraits arrangés de telle sorte que les yeux semblent suivre celui qui passe. Une légende, sous le portrait, disait : BIG BROTHER VOUS REGARDE.

À l'intérieur de l'appartement de Winston, une voix sucrée faisait entendre une série de nombres qui avaient trait à la production de la fonte. La voix provenait d'une plaque de métal oblongue[1], miroir terne encastré dans le mur de droite. Winston tourna un bouton et la voix diminua de volume, mais les mots étaient encore distincts. Le son de l'appareil (du télécran, comme on disait) pouvait être assourdi, mais il n'y avait aucun moyen de l'éteindre complètement. Winston se dirigea vers la fenêtre. Il était de stature frêle, plutôt petite, et sa maigreur était soulignée par la combinaison bleue, uniforme du Parti. Il avait les cheveux très blonds, le visage naturellement sanguin, la peau durcie par le savon grossier, les lames de rasoir émoussées et le froid de l'hiver qui venait de prendre fin.

Au-dehors, même à travers le carreau de la fenêtre fermée, le monde paraissait froid. Dans la rue, de petits remous de vent faisaient tourner en spirale la poussière et le papier déchiré. Bien que le soleil brillât et que le ciel fût d'un bleu dur, tout semblait décoloré, hormis les affiches collées partout. De tous les carrefours importants, le visage à la moustache noire vous fixait du regard. Il y en avait un sur le mur d'en face. BIG BROTHER VOUS REGARDE, répétait la légende, tandis que le regard des yeux noirs pénétrait les yeux de Winston. Au niveau de la rue, une autre affiche, dont un angle était déchiré, battait par à-coups dans le vent, couvrant et découvrant alternativement un seul mot : ANGSOC[2]. Au loin, un hélicoptère glissa entre les toits, plana un moment, telle une

---

1. Oblongue : de forme allongée.
2. ANGSOC est mis pour « socialisme anglais », en novlangue, langue imaginée par Orwell.

mouche bleue, puis repartit comme une flèche, dans un vol courbe. C'était une patrouille qui venait mettre le nez aux fenêtres des gens. Mais les patrouilles n'avaient pas d'importance. Seule comptait la Police de la Pensée.

Texte 13

AUTOBIOGRAPHIE

GEORGES PEREC, *W ou le Souvenir d'enfance* (1975) © Denoël

Dans W ou le Souvenir d'enfance, *Georges Perec (1936-1982) décrit une île difficile d'accès, appelée « W ». Le lecteur croit qu'il s'agit d'un lieu préservé, idéal, même si la description laisse apparaître d'emblée des éléments inquiétants. Il va progressivement découvrir que l'organisation de l'île est cruelle et absurde.*

Il y aurait, là-bas, à l'autre bout du monde, une île. Elle s'appelle W.

Elle est orientée d'est en ouest ; dans sa plus grande longueur, elle mesure environ quatorze kilomètres. Sa configuration géné-
5 rale affecte[1] la forme d'un crâne de mouton dont la mâchoire inférieure aurait été passablement disloquée.

Le voyageur égaré, le naufragé volontaire ou malheureux, l'explorateur hardi que la fatalité, l'esprit d'aventure ou la poursuite d'une quelconque chimère auraient jetés au milieu de cette
10 poussière d'îles qui longe la pointe disloquée du continent sud-américain, n'auraient qu'une chance misérable d'aborder à W. Aucun point de débarquement naturel ne s'offre en effet sur la côte, mais des bas-fonds que des récifs à fleur d'eau rendent extrêmement dangereux, des falaises de basalte, abruptes, rectilignes
15 et sans failles, ou encore, à l'ouest, dans la région correspondant à l'occiput du mouton, des marécages pestilentiels.

---

1. **Affecte** : mime.

On comprend que les habitants, animés par un idéal olympique qui se dégrade en compétition pour la vie, rappellent en fait les déportés des camps de la mort.

Il faut les voir, ces Athlètes qui, avec leurs tenues rayées, ressemblent à des caricatures de sportifs 1900, s'élancer coudes au corps, pour un sprint grotesque. Il faut voir ces lanceurs dont les poids sont des boulets, ces sauteurs aux chevilles entravées, ces sauteurs en longueur qui retombent lourdement dans une fosse emplie de purin. Il faut voir ces lutteurs enduits de goudron et de plume, il faut voir ces coureurs de fond sautillant à cloche-pied ou à quatre pattes, il faut voir ces rescapés du marathon, éclopés, transis, trottinant entre deux haies serrées de Juges de touche armés de verges et de gourdins, il faut les voir, ces Athlètes squelettiques, au visage terreux, à l'échine toujours courbée, ces crânes chauves et luisants, ces yeux pleins de panique, ces plaies purulentes, toutes ces marques indélébiles d'une humiliation sans fin, d'une terreur sans fond, toutes ces preuves administrées chaque heure, chaque jour, chaque seconde, d'un écrasement conscient, organisé, hiérarchisé, il faut voir fonctionner cette machine énorme dont chaque rouage participe, avec une efficacité implacable, à l'anéantissement systématique des hommes, pour ne plus trouver surprenante la médiocrité des performances enregistrées : le 100 mètres se court en 23"4, le 200 mètres en 51" ; le meilleur sauteur n'a jamais dépassé 1,30 m.

*

Celui qui pénétrera un jour dans la Forteresse n'y trouvera d'abord qu'une succession de pièces vides, longues et grises. Le bruit de ses pas résonnant sous les hautes voûtes bétonnées lui fera peur, mais il faudra qu'il poursuive longtemps son chemin avant de découvrir, enfouis dans les profondeurs du sol, les vestiges souterrains d'un monde qu'il croira avoir oublié : des tas de dents d'or, d'alliances, de lunettes, des milliers et des milliers de vêtements en tas, des fichiers poussiéreux, des stocks de savon de mauvaise qualité…

Marivaux (1688-1763), l'homme de théâtre

Marivaux, réputé pour sa discrétion, a laissé peu de traces sur sa vie. On sait qu'il a été journaliste et romancier, et qu'il a vraiment connu le succès au théâtre. Dans ses comédies, il décrit avec légèreté et sensibilité les incertitudes de l'amour. Pour mettre en scène les mœurs de son temps, il invente un langage nouveau : le marivaudage.

LES DÉBUTS LITTÉRAIRES (1713-1720)

1 • Du droit à la littérature

• Pierre Carlet de Chamblain de Marivaux naît à Paris en 1688. Mais il grandit en province, dans une famille de la petite noblesse. Il ne retrouve la capitale que pour faire ses **études de droit** en 1710.

• Il n'exercera jamais le métier d'avocat, même s'il en a le diplôme. Il a une autre vocation, la littérature, qui s'affirme au contact de **Fontenelle** (1657-1757) et dans le **salon de Madame de Lambert** (1647-1733), femme de lettres recevant les esprits les plus cultivés de l'époque.

2 • Les choix littéraires d'un moderne

• Avec Fontenelle, Crébillon ou Houdar de La Motte, il s'engage **aux côtés des modernes contre les anciens**. Entre 1714 et 1716, cette querelle, qui a déjà opposé les deux partis à partir de 1680, retrouve une certaine actualité. Pour Marivaux, les textes antiques peuvent être réécrits ou adaptés. Les écrivains doivent aussi s'intéresser à des sujets et à des genres nouveaux.

• Marivaux s'essaie donc au **roman parodique** (*Les Effets surprenants de la sympathie*, 1713-1714 ; *La Voiture embourbée*, 1714) et à des **réécritures burlesques** de l'œuvre d'Homère (*L'Iliade travestie*, 1716 ; *Télémaque travesti*, 1717).

• En 1717, il se marie avec Colombe Bollogne, dont la dot lui apporte une certaine aisance financière. Il s'adonne également au **journalisme** : il devient l'un des collaborateurs du *Nouveau Mercure*[1]. Sa carrière littéraire est bien lancée.

---

1. En 1722, il fonde son propre journal, *Le Spectateur français*, dont vingt-cinq numéros paraissent jusqu'en 1724. Il écrit ensuite dans *L'Indigent philosophe* en 1728, puis dans *Le Cabinet du philosophe* en 1734.

LA RÉUSSITE THÉÂTRALE (1720-1740)

1 • Des revers de fortune personnels

• En 1720, l'effondrement du système de Law, banquier censé réformer le système bancaire et financier, entraîne sa **ruine**. Trois ans plus tard, il perd sa femme, qui lui avait donné une fille.

• La littérature devient donc pour lui un moyen de gagner de l'argent et d'élever son enfant. Il n'a pas d'autre choix que d'obtenir du succès. C'est essentiellement au **théâtre** qu'il va le trouver.

2 • Des comédies d'analyse du cœur humain

• Dès 1720, avec *Arlequin poli par l'amour*, représentée par les Comédiens-Italiens, Marivaux apparaît comme un maître de la comédie. En 1722, il triomphe avec *La Surprise de l'amour*, à laquelle *La Seconde Surprise de l'amour* donne un prolongement cinq ans plus tard. Pour lui, les succès s'enchaînent: *La Double Inconstance* en 1723, *La Fausse Suivante* et *Le Prince travesti* en 1724. Il devient l'**auteur attitré des Comédiens-Italiens**, dont le jeu plaisant et animé convient au ton et au rythme de ses pièces.

• Avec *L'Île des esclaves* (1725), *L'Île de la raison* (1727) ou *La Nouvelle Colonie* (1729), qui devient *La Colonie* (1750), il montre que **l'amour n'est pas son seul objet d'inspiration**. Ces comédies invitent à **réfléchir sur les relations sociales, en particulier entre maîtres et valets**. Le cadre utopique permet aux personnages de rêver de liberté et d'égalité.

• En 1730, *Le Jeu de l'amour et du hasard* lui assure l'estime à la fois du public et des critiques. C'est aujourd'hui encore l'une de ses pièces les plus célèbres. *Les Fausses Confidences* (1737), *Les Sincères* (1739), *L'Épreuve* (1740) sont parmi ses derniers chefs-d'œuvre.

LES DERNIÈRES ANNÉES (1742-1763)

1 • L'ébauche d'une œuvre romanesque

• Marivaux fait une infidélité au théâtre pour publier **deux romans, qui restent inachevés**: *La Vie de Marianne* (entre 1731 et 1741) et *Le Paysan parvenu* (1734-1735).

• Il s'agit de deux **autobiographies fictives**, dans lesquelles il prolonge ses réflexions sur l'amour, la sincérité et les inégalités sociales.

2 • Un éloignement progressif de la littérature

• En 1742, en partie grâce à l'influence de Madame de Tencin (1682-1749), dont il fréquente le salon, il est **élu à l'Académie française** contre un concurrent de renom, mais controversé : Voltaire. Il n'écrit, dans ses dernières années, que quelques comédies et réflexions sur la langue française. Il tire surtout bénéfice des nombreuses reprises de ses pièces précédentes.

• **Il meurt à Paris le 12 février 1763, à l'âge de 75 ans**, en laissant une œuvre qui fait de lui l'un des auteurs les plus joués du théâtre français.

Marivaux et la Comédie-Italienne

| REPÈRE 2 |

Marivaux écrit l'essentiel de ses pièces pour les Comédiens-Italiens. À partir de 1720, il entreprend une collaboration féconde avec cette troupe qui traduit le naturel et la vivacité de son écriture et à laquelle il donne un répertoire exceptionnel.

UN THÉÂTRE COMIQUE ET POPULAIRE

1 • La liberté d'improviser

• La *commedia dell'arte*, qui apparaît en Italie vers le milieu du XVIe siècle, laisse une grande place à l'improvisation. Seul le canevas de la pièce est écrit à l'avance. Les acteurs peuvent donc multiplier les **lazzis**, jeux de scène comiques dont Arlequin, par exemple, est coutumier.

• Les personnages correspondent pour la plupart à des **types** codifiés : le valet rusé ou grossier, le noble amoureux, entre autres. Loin de toute subtilité psychologique, ils incarnent des traits de caractère simples, faits pour inspirer le rire.

• Les Comédiens-Italiens héritent de cette tradition, qui connaît un grand succès. Au début de leur établissement à Paris, ils maîtrisent mal le français, qu'ils utilisent peu. Ils compensent cet obstacle par **un jeu riche en acrobaties et mimiques**.

2 • Des rapports complexes avec le pouvoir

• À la Comédie-Française revient le privilège de donner des représentations en français à Paris et dans les faubourgs. Ce monopole est brisé en **1684, lorsque les Comédiens-Italiens reçoivent l'autorisation de jouer en français**.

• De nouveaux auteurs se mettent à travailler pour la Comédie-Italienne : Dufresny (1657-1724) ou Regnard (1655-1709), par exemple. Les textes sont plus écrits et davantage exposés à la **censure**.

• En 1697, les Comédiens-Italiens sont soupçonnés de vouloir critiquer Mme de Maintenon, épouse de Louis XIV, dont ils auraient raillé la dévotion et le rigorisme moral dans *La Fausse Prude*, une comédie. **Chassés du royaume, ils ne reviennent qu'en 1716**, à l'invitation du Régent, Philippe d'Orléans.

LA COMÉDIE-ITALIENNE : DES ACTEURS EN QUÊTE D'AUTEURS

1 • Marivaux ou le renouveau de la Comédie-Italienne

• Lorsque la troupe, dirigée par **Luigi Riccoboni** (1676-1753), revient en France, elle doit retrouver une place qu'elle a perdue : les théâtres de la Foire, qui proposent des spectacles à l'occasion des foires parisiennes, ont pris le relais de leurs spectacles animés et populaires.

• Le théâtre de Marivaux permet aux Comédiens-Italiens d'adopter un **répertoire plus noble**, qui n'ait pas le divertissement pour seule ambition. Il leur apporte des textes bien écrits, un langage raffiné et original, qui analyse avec lucidité les mœurs du siècle.

2 • Un jeu adapté à la dramaturgie de Marivaux

• Marivaux ne peut sans doute guère se reconnaître dans le **jeu des Comédiens-Français, réputé statique, généralement solennel, voire grandiloquent**. Leurs spectateurs n'apprécient d'ailleurs pas la bouffonnerie, le travestissement et les chassés-croisés amoureux.

• L'écriture de Marivaux suppose, au contraire, un jeu très dynamique. Dans ses comédies, les répliques s'enchaînent avec vivacité, et les personnages, même s'ils ne portent pas de masques, comme certains types de la *commedia dell'arte*, jouent tous des **rôles sociaux**. Le dialogue doit faire tomber ces masques, qui sont autant d'obstacles aux élans sincères du cœur.

3 • L'importance du personnage d'Arlequin

● Arlequin est l'un des personnages les plus célèbres de la Comédie-Italienne. Il est **omniprésent dans l'œuvre de Marivaux, dès** *Arlequin poli par l'amour* **(1720)**. On le retrouve également dans *La Double Inconstance* (1723), *L'Île des esclaves* (1725), *Le Jeu de l'amour et du hasard* (1730).

● D'**origine populaire,** ce personnage est **souvent fantaisiste et parfois vulgaire.** Son costume fait de losanges multicolores traduit sa modeste condition sociale et son manque de sérieux. Il goûte également des plaisirs bien terrestres : il aime manger, boire, séduire. Dans *L'Île des esclaves*, il apparaît même sur scène avec une bouteille de vin.

● Arlequin est incarné par Thomasso Antonio Vincentini, dit **Thomassin** (1682-1739), acteur souple, connu pour ses pirouettes. Thomassin donne aussi plus de finesse au personnage, qui s'éloigne de la farce pour acquérir une certaine complexité psychologique.

Marivaux, un dramaturge du siècle des Lumières | REPÈRE 3 |

Le théâtre du XVIIIe siècle, même s'il reste fidèle à la dramaturgie classique, est marqué par un certain nombre d'évolutions. Il témoigne d'une plus grande attention aux questions sociales et d'un esprit nouveau, caractéristique du siècle des Lumières.

UN THÉÂTRE CLASSIQUE ?

1 • Le respect des unités

● Les dramaturges du XVIIIe siècle respectent les **unités de temps** (l'action se déroule en moins de vingt-quatre heures), **de lieu** (un seul lieu) **et d'action** (une action principale à laquelle se rapportent d'éventuelles actions secondaires) définies par leurs prédécesseurs.

● Dans *L'Île des esclaves*, **l'action semble en effet très rapide** : la leçon d'Iphicrate est bien loin de durer les trois ans annoncés par Trivelin (scène 2). Elle n'a qu'**un seul enjeu** : faire prendre conscience aux maîtres que les valets doivent être respectés. **L'île est également le cadre unique de la pièce.**

• À la fameuse règle des trois unités s'ajoute une autre exigence : celle de l'**unité de ton**. Dans *L'Île des esclaves*, Marivaux fait rire. Mais la pièce débute par la mention d'un naufrage. Le sort des maîtres peut aussi inspirer la pitié. Diderot (1713-1784) va jusqu'à remettre en question la distinction entre comédie et tragédie. Dans *Le Fils naturel* (1757) et *Le Père de famille* (1758), des **drames bourgeois**, il s'efforce de plaire et d'émouvoir.

2 • La vraisemblance et la bienséance

• Ces règles ont pour objectif de garantir la **vraisemblance**, en préservant la plus grande proximité possible entre ce qui est représenté et la représentation elle-même. Dans *L'Île des esclaves*, Marivaux semble toutefois s'éloigner de cette exigence. La didascalie initiale (scène 1) inscrit l'intrigue dans une île utopique. Puis Iphicrate apprend à son valet que, sur cette île, les maîtres sont réduits en esclavage. C'est un aveu pour le moins imprudent : soit Iphicrate est inconscient, soit sa tirade répond aux seules exigences dramaturgiques de l'exposition, en informant le spectateur, sans considération pour la vraisemblance psychologique.

• Dans sa comédie, Marivaux se conforme à la règle de **bienséance**, qui interdit la représentation sur scène d'actions violentes ou exprimant le désir. Aucune action n'a vraiment lieu hors scène. Mais le renversement des rôles sociaux qu'il imagine est cruel pour les maîtres : les valets se vengent en brossant d'eux des portraits peu flatteurs. Ils subissent une **humiliante mise à l'épreuve**.

3 • Le souci de plaire et d'instruire

• Marivaux veut séduire les spectateurs. Dès la scène 1, **Arlequin est à l'origine du comique**. Avec sa bouteille de vin à la ceinture, il chante et ne cesse de se moquer de son maître. L'exposition fait naître également une **attente sur le sort qui va être réservé à Iphicrate**.

• Pour Marivaux, il s'agit de **plaire pour mieux instruire**. Sa comédie fait réfléchir sur la différence de condition sociale. Elle dénonce l'orgueil des maîtres et montre que le pouvoir ne légitime pas la tyrannie.

LE RENOUVELLEMENT DE LA COMÉDIE

1 • Les questions sociales

• Après la fin très sombre du règne de Louis XIV, la Régence, assurée par Philippe d'Orléans, est une période où les écrivains retrouvent une certaine liberté d'expression. Le **mouvement des Lumières** se développe dans ce contexte. Sur la scène, **Marivaux s'interroge donc sur les privilèges des maîtres.** Il révèle aussi les aspirations de l'individu, qui n'accepte plus de sacrifier son bonheur à des exigences sociales insupportables.

• Mais Marivaux, comme la plupart des hommes des Lumières, n'est pas révolutionnaire. **Il ne défend pas l'égalité sociale.** Les valets ne sont d'ailleurs pas épargnés par les railleries. **Ce n'est pas le principe du pouvoir des maîtres qu'il dénonce, mais les abus de ce pouvoir.**

2 • La confiance en la raison

• Les hommes des Lumières, dont Voltaire (1694-1778) est l'un des plus illustres exemples, **s'opposent à l'obscurantisme**, censé caractériser les siècles antérieurs. Ils critiquent les préjugés et les superstitions, à l'origine de l'intolérance et des injustices.

• **Défenseurs du rationalisme, condition du progrès et du bonheur des hommes**, ils se soucient d'éclairer les esprits. Marivaux est le contemporain de L'Encyclopédie (1751-1772), le projet majeur des Lumières, porté par Diderot et d'Alembert. Les collaborateurs de L'Encyclopédie avaient l'intention de faire la somme de toutes les connaissances humaines, pour les transmettre à un public « éclairé ».

• Dans L'Île des esclaves, Marivaux témoigne de sa **confiance en la raison**. Le stratagème qu'il invente pour punir les maîtres est clairement expliqué par Trivelin : loin de la vengeance, qui serait l'expression des passions, il a pour objectif de créer les conditions de relations sociales plus équilibrées, plus raisonnables.

Des mises en scène de | REPÈRE 4 |
L'Île des esclaves et de La Colonie

Les pièces de Marivaux sont caractérisées par leur fantaisie divertissante et poétique. À l'époque contemporaine, les metteurs en scène y ont toutefois vu de sombres leçons sur la cruauté des hommes, les inégalités sociales et politiques.

L'ÎLE DES ESCLAVES : ENTRE L'UTOPIE ET LA CRUAUTÉ

1 • Une pièce créée par les Comédiens-Italiens

• La première de la pièce a lieu le **5 mars 1725**. Elle est ensuite représentée à vingt et une reprises, à l'Hôtel de Bourgogne. C'est un **succès populaire**.

• Mais **la Cour, qui la découvre le 13 mars, se montre beaucoup plus réservée**. Elle apprécie modérément une pièce dans laquelle des esclaves jouent le rôle des maîtres.

• La pièce est ensuite reprise régulièrement pendant le XVIIIᵉ siècle. Mais, **en 1791, elle n'est jouée que cinq fois** : elle n'est pas considérée comme révolutionnaire. Son succès est bien inférieur à celui du *Jeu de l'amour et du hasard* (1730), du même Marivaux.

2 • De l'oubli à la redécouverte

• Au **XIXᵉ siècle**, la pièce tombe dans un **oubli relatif**. Il faut attendre la mise en scène de Jean Sarment en 1931 (théâtre Antoine) et celle de Félix Gaiffe en 1934 (théâtre du Vieux-Colombier) pour la retrouver à l'affiche parisienne. On redécouvre alors l'audace de la fiction imaginée par Marivaux.

• Le **5 juillet 1939**, la pièce entre au **répertoire de la Comédie-Française**. Pierre Dux, qui la met en scène, rend hommage à sa dimension subversive, car le spectacle s'inscrit dans le cadre de la commémoration du cent cinquantième anniversaire de la Révolution.

• Dans les années **1960-1970**, les spectateurs et les critiques sont **particulièrement sensibles à la portée sociale de la pièce**. Mais les interprétations sont divergentes : certains font de Marivaux un précurseur de la lutte des classes, quand d'autres dénoncent son conservatisme en rappelant la réconciliation finale, jugée naïve, entre maîtres et valets.

3 • Une pièce sur la violence des rapports sociaux

• **Jean-Luc Lagarce**, en **1994** (Paris, théâtre Athénée-Louis Jouvet), fait de l'utopie un mensonge, qui donne l'illusion provisoire d'une prise de pouvoir des valets. La conclusion de la pièce invite à se résigner, non sans amertume, à l'état du monde tel qu'il est.

• **Giorgio Strehler**, en **1995** (Paris, théâtre de l'Odéon), présente la pièce en langue italienne, dans une mise en scène qui révèle son ambiguïté : à la fois idyllique et carcérale, l'utopie estompe peut-être les inégalités entre les hommes ; mais elle se conclut sur un mode mélancolique. Rien ne semble vraiment avoir été résolu.

• La pièce est l'objet de nombreuses mises en scène récentes. Celle d'**Irina Brook**, en **2005** (Paris, théâtre de l'Atelier), lui apporte quelques éléments de modernité : par exemple, les personnages échouent sur l'île suite à une catastrophe aérienne, et non à un naufrage. En **mars-avril 2014**, la mise en scène de **Benjamin Jungers** à la Comédie-Française souligne la situation extrême dans laquelle se trouvent les personnages et la violence qu'ils doivent affronter.

II. LA COLONIE : UNE PIÈCE FÉMINISTE ?

• Un échec lors de la première représentation

• *La Nouvelle Colonie, ou la Ligue des femmes* est jouée pour la première fois le 18 juin 1729 par les Comédiens-Italiens. C'est un **échec**. Le public masculin n'est sûrement pas favorable à cette remise en question de ses droits. Marivaux la retire immédiatement de l'affiche.

• Il réécrit alors sa pièce et la réduit à un seul acte. C'est sous cette forme qu'il la fait **publier** par le *Mercure de France*, en **1750**.

• Une pièce sur l'égalité hommes-femmes

• Les mises en scène contemporaines révèlent l'**actualité du questionnement de Marivaux sur le rôle des femmes**, qui aspirent à n'être pas seulement des épouses et des mères, mais aussi des citoyennes.

• En **2011**, la pièce est présentée par **Gilberte Tsaï** avec *L'Île des esclaves* et *L'Île de la raison*, dans un spectacle intitulé *Le Jeu de l'île, d'après Marivaux*. Avec un décor presque unique, la mise en scène fait de l'île un espace où se redéfinissent les rapports sociaux.

• En **2012**, **Keti Irubetagoyena** adapte la pièce de Marivaux, dans un spectacle intitulé *La Colonie : Marivaux relu par Brecht*[1], *qui aurait lu Butler*[2]. Sans désigner les hommes comme coupables, elle montre que les inégalités, fondées sur les lois, les habitudes et l'histoire, les paralysent autant que les femmes.

1. Bertolt Brecht : écrivain allemand (1898-1956), qui dénonça les totalitarismes du XXᵉ siècle.

2. Samuel Butler : écrivain britannique (1835-1902), auteur d'*Erewhon ou De l'autre côté des montagnes*, un roman utopique.

Maîtres et valets dans *L'Île des esclaves*

Trivelin énonce les règles d'un jeu qui donne aux valets le pouvoir de se mettre en scène comme des maîtres. Tous sortent grandis de cette expérience : Iphicrate et Euphrosine apprennent la sincérité ; Arlequin et Cléanthis se libèrent de leur rancune.

TRIVELIN, LE MENEUR DE JEU

- Responsable du jeu, Trivelin se montre **très rationnel et raisonnable**. Il explique l'histoire des habitants de l'île et défend la justice, non la vengeance. En **homme des Lumières**, il croit au progrès. **Soucieux de la vérité**, il tente d'obtenir d'Iphicrate et d'Euphrosine l'aveu de leurs extravagances pour qu'ils se corrigent.

- Au dénouement, il intervient pour sceller la réconciliation entre les personnages et donner la **leçon de la pièce**. Il met un terme à l'aventure : le jeu de rôles n'était qu'une parenthèse nécessaire pour divertir et instruire.

LES MAÎTRES : DE L'ARTIFICE À LA SINCÉRITÉ

1 • Iphicrate ou la faiblesse du pouvoir

- Au début de la pièce, Iphicrate se montre **peureux**, voire **lâche**. Lorsque Arlequin le lui demande, il avoue qu'il est «un ridicule», dans l'espoir de se «tirer d'affaire» (scène 5, p. 30). Pour lui, la vie semble préférable à l'honneur. Lorsqu'il court après Arlequin, l'épée à la main, il offre seulement une image caricaturale de la noblesse, qui a l'**illusion de sa toute-puissance** (scène 1, p. 11). Il n'est **jamais vraiment maître de l'action**, qu'il subit.

- Mais, dans le dénouement, il reconnaît à Arlequin une certaine grandeur d'âme. Il finit par s'en remettre à celui qui était son valet et auquel il accorde lui-même la liberté de décider : «Fais ce que tu voudras» (scène 9, p. 43). Son discours bienveillant et ses larmes signalent le **rachat de ses fautes**.

2 • Euphrosine, la séductrice

- Le spectateur apprend d'abord à connaître Euphrosine par le biais du discours que Cléanthis tient sur elle. Elle est considérée comme «**vaine, minaudière et coquette**» (scène 3, p. 19). Elle multiplierait les artifices, dans l'intention de séduire.

• Elle ne se montre sincère que sous la contrainte de Trivelin et au moment où Arlequin tente de la séduire. Elle peut alors inspirer une certaine **pitié**, car elle ressent le jeu comme cruel et humiliant. Elle avoue ainsi sa **fragilité** : « j'ai besoin de la compassion de tout le monde » (scène 8, p. 39). Le spectateur lui pardonne ses excès, avec Cléanthis, lorsqu'elle en prend enfin conscience (scène 10).

LE JEU DES VALETS

1 • Arlequin ou le bonheur d'être acteur

• Ce valet, hérité de la *commedia dell'arte*, se prend joyeusement au **jeu de l'inversion des rôles**. Sa bonne humeur peut être perçue comme une provocation à l'égard d'Iphicrate. En désobéissant à son maître, dont il parodie même les discours galants (scène 6), il fait souvent naître le rire.

• Mais il est aussi capable de développer une **argumentation sérieuse**. Il explique à son maître pour quelles raisons l'inversion des rôles peut lui être profitable. En valet philosophe, il affirme : « Tout en irait mieux dans le monde, si ceux qui te ressemblent recevaient la même leçon que toi » (scène 1, p. 11).

• Arlequin, même s'il se moque d'Iphicrate, est doté d'un **bon naturel**. Il est **le premier à pardonner**. Trivelin dit de lui qu'il n'est « point méchant » (scène 5, p. 28) et Iphicrate avoue que sa « générosité [l]e couvre de confusion » (scène 9, p. 42). Cléanthis fait de lui un portrait élogieux, pour inviter sa maîtresse à le considérer sans arrogance : « ce n'est qu'un bon cœur, voilà tout » (scène 7, p. 37).

2 • Cléanthis ou la parodie contre l'amertume

• Cléanthis a **souffert de sa soumission à Euphrosine**. Trivelin lui fait cet avertissement : « ne vous abandonnez point à votre douleur » (scène 3, p. 17). Sa **rancune** s'exprime jusqu'au dénouement. Elle **accepte d'« oublier tout »**, plus que de vraiment pardonner, parce qu'Arlequin le lui demande et qu'elle veut regarder l'avenir, non pas se venger (scène 10, p. 45).

• Cléanthis est une suivante intelligente, qui parodie les ridicules d'Euphrosine avec talent. Elle constate avec satisfaction qu'elle a « diverti » Trivelin. Elle se présente comme l'**incarnation de la « simplicité » et du naturel**, face à la coquetterie de sa maîtresse (scène 3, p. 23).

L'Île des esclaves : | FICHE 2 |
entre le rire et l'inquiétude

L'Île des esclaves est une comédie en un acte, dont le dénouement est heureux. Le rire qu'elle suscite, né de l'inversion des conditions sociales, invite les spectateurs à réfléchir, comme le font les «grandes comédies» de Molière. Mais la pièce s'éloigne de l'exigence classique d'unité de ton. L'émotion n'en est pas absente.

LE RIRE : LE SENS DU CARNAVAL

1 • Une inversion des rôles...

• L'inversion des conditions sociales, sur laquelle s'appuie un **comique de situation**, renvoie au **carnaval** ou aux **saturnales** de l'Antiquité romaine. Ce sont des occasions, pour l'individu, de se libérer des contraintes qui pèsent sur lui et, pour la société, de compenser les inégalités, le temps de la fête. Les valets y prennent l'habit et la place des maîtres. Arlequin voit ce **travestissement comme un jeu**, qui le fait «sauter de joie» (scène 2, p. 12). Trivelin l'avertit que la fête ne saurait toutefois durer : il a «huit jours à [se] réjouir du changement de [son] état», avant de devoir travailler, comme tous les habitants (p. 15).

• Le travestissement autorise Arlequin à se montrer **insolent**, comme beaucoup de **valets de la farce**. Sa désobéissance et sa gaieté constituent des provocations à l'égard d'Iphicrate (scènes 1 et 5). Il fait lui-même cet aveu : «je ne suis que mutin» (scène 5, p. 28). Il traite son ancien maître comme un «bon enfant» (p. 27), dont il assure la rééducation. **Le spectateur ne peut guère avoir pitié d'Iphicrate**, que l'île a privé de pouvoirs abusifs.

2 • ... qui fait rire des maîtres

• Après la scène d'exposition, les valets se livrent aux **portraits satiriques de leurs maîtres**. C'est Cléanthis qui s'y adonne avec le plus de brio. Trivelin lui demande de dénoncer les «ridicules» d'Euphrosine, pour qu'elle s'en corrige (scène 3, p. 19). Avec un certain sens du théâtre, elle met donc en scène les paroles que sa maîtresse pourrait prononcer face à elle, ainsi que dans ses conversations avec la société élégante. Elle multiplie également les anecdotes destinées à faire rire du **manque de sincérité et de naturel d'Euphrosine**.

● À la satire, dans la pièce, s'ajoute la **parodie du discours des maîtres**. Arlequin et Cléanthis, dans la scène 6, se réapproprient les **images et lieux communs de la galanterie**. Lorsqu'il joue avec Cléanthis, dans une scène de **théâtre dans le théâtre**[1], Arlequin évoque en effet ses «flammes» et ses «feux» (scène 6, p. 33). Les valets se mettent en scène face à Iphicrate et à Euphrosine, réduits au rôle de spectateurs. Mais Arlequin jure, saute de joie et s'applaudit: son identité de valet ressort ainsi, pour révéler **la vanité et les artifices du langage des maîtres**, inadapté à l'expression sincère des sentiments.

UNE ÉPREUVE CRUELLE ET ÉMOUVANTE

1 • Une situation douloureuse

● **La situation initiale pourrait être tragique**: les personnages sont prisonniers d'une île, suite à un naufrage dans lequel tous leurs compagnons ont péri. La **mort** est à l'**arrière-plan de la comédie**. L'épreuve que Trivelin leur annonce n'est pas non plus anodine. Ils devront accepter une modification radicale de leurs identités sociales. **L'utopie constitue pour eux un autre monde**, dans lequel tous leurs repères sont perturbés. Dans le dénouement, Trivelin leur demande d'ailleurs d'oublier les «chagrins» qu'ils ont «sentis» (scène 11, p. 47).

● Les premiers mots d'Iphicrate révèlent son inquiétude: «Que deviendrons-nous [...]?» (scène 1, p. 7). Si Arlequin met joyeusement à distance la **menace de la mort**, ce n'est pas son cas. Avec **un vocabulaire et une attitude dignes d'un héros**, il sort son épée, symbole de son origine aristocratique, pour poursuivre et punir Arlequin. **Il prétend même qu'il va mourir** lorsque Arlequin lui fait «commandement d'aimer la nouvelle Euphrosine». Il annonce avec grandiloquence: «c'en est fait, je succombe; je me meurs» (scène 9, p. 40).

● **Euphrosine**, elle aussi, est **inquiète**. Trivelin se charge de la rassurer après la douloureuse révélation de ce que Cléanthis pense d'elle (scène 3). Pour elle, l'humiliation est insupportable. Il lui promet donc que sa «délivrance» est assurée, si elle se montre humble et sincère (scène 4). Mais elle inspire au spectateur une certaine **pitié quand Cléanthis veut lui imposer d'être sensible à l'amour**

---

1. Ce procédé permet de présenter une pièce de théâtre à l'intérieur d'une première pièce. Les personnages deviennent soit des acteurs de la seconde pièce, soit des spectateurs. Dans la pièce, la mise en scène des valets dans le rôle des maîtres peut relever du théâtre dans le théâtre.

d'Arlequin, déguisé en Iphicrate. Rêveuse, elle exprime ainsi son désarroi : « Où suis-je ! et quand cela finira-t-il ? » (scène 7, p. 37)

2 • Un dénouement émouvant

• Dans le dénouement, Iphicrate joue sur les sentiments d'Arlequin, qui réagit immédiatement en pleurant (scène 9). Le maître et le valet se déclarent leur affection, dans les embrassades et les larmes. Ils retrouvent la voie de **relations sincères, dignes d'honnêtes gens**. Pour Euphrosine et Cléanthis, les larmes sont aussi les signes que le « cours d'humanité » (scène 2, p. 14) a réussi. Elles font passer les jeunes femmes **de la tristesse à l'attendrissement** (scène 10, p. 45).

• Le dénouement de la pièce laisse place aux sentiments des personnages. Le repentir de chacun permet de faire triompher la **morale** et la **générosité**. Marivaux nous montre que la raison évite certes des excès préjudiciables à une vie sociale apaisée, mais que **les émotions sont la condition d'un comportement plus vertueux**.

L'Île des esclaves : | FICHE 3 |
utopie sociale ou utopie morale ?

Dans L'Île des esclaves, *l'inversion des rôles entre maîtres et valets révèle les abus de pouvoir dont ces derniers sont les victimes. Mais elle ne bouleverse pas l'ordre social. Le cadre utopique permet avant tout aux personnages d'apprendre à mieux vivre ensemble.*

UN RENVERSEMENT PROVISOIRE DES RAPPORTS DE POUVOIR

1 • La mise en scène des inégalités maîtres-valets

• Marivaux met en scène les inégalités sociales dans le **cadre éloigné d'une île, sur laquelle des esclaves révoltés seraient venus s'établir**. Les allusions à l'Antiquité grecque et au « pays d'Athènes » (scène 1) voilent à peine son propos : il est bien question, dans la pièce, des **rapports maîtres-valets** et de la **société de son temps**. Certains ont aussi pu y voir une **allusion à l'esclavage pratiqué par la France dans ses colonies**.

• Arlequin et Cléanthis ne cessent de dénoncer la façon dont leurs maîtres les traitent. Au service d'Iphicrate et d'Euphrosine, ils ne se sentent pas respectés.

Ils doivent à leur maître l'**obéissance, sous peine d'être châtiés**. Arlequin précise que son « patron » a l'habitude de lui faire des « compliments [...] à coups de gourdin » (scène 1, p. 10). **Les valets perdent même leur identité**. Iphicrate donne à Arlequin des « sobriquets » et l'appelle parfois « Hé » (scène 2, p. 12).

• Face aux valets, les maîtres se croient dotés d'un pouvoir absolu. Iphicrate est **trop autoritaire**, et Euphrosine, **superficielle et capricieuse**, n'a pour Cléanthis que des **injures** (scène 3). Orgueilleux, ils **ne se soucient que du paraître**. Ils ne parviennent plus à être naturels et sincères, car le pouvoir les a corrompus. Trivelin dénonce la « barbarie de [leurs] cœurs » (scène 2, p. 14). La loi de la « République », qu'il est chargé de faire observer, impose d'isoler et de traiter ces maîtres, que la société a rendus malades.

2 • La rééducation des maîtres

• Trivelin annonce l'objectif du séjour sur l'île : il s'agit de rééduquer les maîtres, avant de les autoriser à revenir à Athènes. Ce « cours d'humanité » doit leur faire prendre conscience que **l'inégalité sociale ne leur permet pas de nier l'égale dignité humaine** (scène 2). L'**épreuve** qu'ils subissent est **cruelle**. Elle ne va pas sans humiliations. Euphrosine est celle qui supporte le moins bien la « peinture » très critique et développée que Cléanthis fait d'elle. Trivelin est obligé d'intervenir et de l'inviter à garder « courage » (scène 3, p. 21).

• Cette épreuve est efficace, car chacun finit par **faire la paix et pardonner à l'autre**. Iphicrate et Arlequin s'embrassent (scène 9). Euphrosine va jusqu'à confesser à Cléanthis : « j'ai abusé de l'autorité que j'avais sur toi, je l'avoue » (scène 10, p. 45). Les larmes et les embrassades créent une communauté humaine nouvelle, réunie par l'émotion. Cette **égalité, conquise sur un plan qui dépasse les différences sociales**, est ainsi résumée par Arlequin : « nous sommes admirables ; nous sommes des rois et des reines » (scène 11, p. 46).

• Mais, à la fin de la pièce, l'ordre social n'est pas remis en cause. Au contraire, Arlequin demande à Iphicrate de lui rendre son habit de valet (scène 9) : la **sagesse** serait d'**accepter sa condition**. Pour **Marivaux**, qui n'est **pas un révolutionnaire**, les valets ne sont pas faits pour devenir des maîtres. Le dénouement, ainsi que l'éloignement spatio-temporel de l'utopie, est destiné à rassurer un public qui aurait sûrement peu apprécié une prise de pouvoir définitive des valets.

UNE LEÇON ESSENTIELLEMENT MORALE ?

1 • Le choix de la juste mesure

• Même si **la pièce ne permet pas d'instaurer l'égalité entre les hommes, elle les conduit à reconnaître leurs erreurs**. Leur apprentissage est moral. Trivelin veut rendre les maîtres «humains, raisonnables, et généreux pour toute [leur] vie» (scène 2, p. 15). Dans la dernière scène, sa remarque très générale permet d'insister sur l'**enjeu moral de la pièce** : «La différence des conditions n'est qu'une épreuve que les dieux font sur nous» (scène 11, p. 47).

• Marivaux peut d'ailleurs être considéré comme un **héritier des moralistes de l'âge classique**. Il ne veut probablement **pas changer les hommes**, mais **les inviter à se voir tels qu'ils sont**. Le portrait que Cléanthis fait de sa maîtresse Euphrosine (scène 3) n'est pas si éloigné de ceux que La Bruyère fait de la bonne société de son temps dans ses *Caractères* (1688). Le miroir peu flatteur que les valets tendent à leurs maîtres doit être un **remède aux excès de leur amour-propre**. Il s'agit de créer les conditions d'une vie sociale apaisée, entre «honnêtes gens» (scène 4, p. 24).

• Tous les personnages de la pièce reçoivent donc une leçon. **Les maîtres sont certes critiqués**, mais **les valets ne sont pas épargnés** : Arlequin fait souvent preuve d'une insolence excessive, et la rancune durable de Cléanthis n'est guère à son honneur. Les valets ne doivent pas faire de l'épreuve subie par leurs maîtres une vengeance. Trivelin se méfie de cet écueil, car il sait qu'à l'«**orgueil**» des maîtres correspond la «**vanité**» des valets (scène 2, p. 12). La nature humaine ne serait pas faite pour l'égalité.

2 • La sagesse de la comédie

• Dans la pièce, le renversement des rôles, qui rappelle le **comique du carnaval** → fiche 2, p. 135, libère la parole de tous, en particulier celle des valets. Le langage d'Arlequin révèle toutefois son origine populaire. C'est avec une plaisante maladresse, par exemple, qu'il dit à Trivelin : «quand je suis gai, je suis de bonne humeur» (scène 5, p. 27). Ses formules redondantes et ses jeux de mots montrent que, contrairement aux maîtres, il ne prend pas le langage totalement au sérieux.

• La comédie doit «plaire», mais elle doit surtout «instruire» le lecteur[1], à travers la leçon reçue par les personnages. Cette leçon, essentiellement morale, n'est

---

1. «Plaire et instruire», précepte d'Horace, poète latin (65-8 av. J.-C.), est l'une des devises essentielles du classicisme.

toutefois pas totalement dénuée de sens politique. Marivaux montre que, sur le théâtre du monde, **les rôles fixés par l'histoire et les habitudes peuvent être renversés**, qu'ils ne sont en rien immuables. Pour que les hiérarchies sociales gardent un sens, les maîtres ont sans doute la responsabilité de se montrer respectables et vertueux, s'ils ne veulent pas s'entendre reprocher qu'ils se sont donné «la peine de naître, et rien de plus» (Beaumarchais, *Le Mariage de Figaro*, 1784, acte V, scène 3). Le renversement des rapports maîtres-valets, qui sur l'île n'est qu'un jeu, constitue en lui-même une **remise en question subversive de la légitimité de l'ordre social et politique**, en cette fin de l'Ancien Régime.

Hommes et femmes dans *La Colonie*

| FICHE 4 |

La Colonie *est une comédie sur la guerre des sexes. Les personnages, de générations et de classes sociales différentes, s'opposent surtout entre hommes et femmes. Lina et Persinet, les jeunes amants, s'ils étaient moins faibles, pourraient faire le lien entre les différents camps. Mais c'est finalement par la ruse que les hommes obtiennent la réconciliation.*

LA LIGUE DES FEMMES

1 • Madame Sorbin, l'autoritaire

• Mme Sorbin, dans la lutte contre les hommes, a une **position très radicale** : «plutôt mourir que d'endurer plus longtemps nos affronts» (scène 1, p. 57). L'amour n'est pour elle qu'une coupable faiblesse à l'égard des hommes.

• Elle adopte une **attitude héroïque, un peu excessive et presque comique**. Elle se dit prête à se sacrifier pour la cause des femmes (scène 1, p. 58), auxquelles elle proposera plus tard de s'enlaidir (scène 9, p. 77). Elle accepte de combattre, même si elle concède que les hommes, plus expérimentés, doivent diriger la guerre. Elle nomme Timagène «colonel de l'affaire» (scène 18, p. 99).

• Mais Mme Sorbin est un **personnage qui divise les femmes elles-mêmes**. Elle a la réputation d'être **têtue**, ce qu'elle montre, par exemple, en s'opposant au mariage entre Lina et Persinet. C'est une «tête de fer qui ne pliera jamais, et que personne jusqu'ici ne peut se vanter d'avoir réduite» (scène 6, p. 69). Elle se met facilement en **colère**, et les autres femmes finissent par ne plus la soutenir. Arthenice déclare, dans la scène finale : « La brutalité de cette femme-là me dégoûte de tout » (scène 18, p. 99).

2 • La noble Arthenice

• Arthenice, qui **représente les femmes issues de la noblesse**, défend avec fierté et conviction la cause féminine. Elle a sans doute elle-même été malheureuse dans son mariage. **Veuve**, elle évoque sans nostalgie « feu [s]on bourru de mari » (scène 6, p. 69).

• Pour libérer les femmes, elle entend « **abolir** » **le mariage**, qu'elle considère comme un esclavage (scène 5, p. 66). En porte-parole des Lumières, elle pense que les femmes, une fois instruites, ne pourront que désirer être autonomes (p. 67). Elle tente d'ailleurs d'éveiller les consciences en expliquant que la séduction, flatteuse pour les femmes, est aussi un moyen de les asservir (scène 9, p. 76-77). Elle éprouve la force de conviction de son éloquence, dans un **discours aux accents presque féministes**.

• Mais elle ne partage pas l'entêtement de Mme Sorbin contre les hommes. Même si **elle défend l'unité des femmes** (scène 1), **elle prend finalement ses distances**. Courtisée par Timagène, elle est aussi considérée avec respect par Hermocrate (scène 17).

LA RÉSISTANCE DES HOMMES

1 • Monsieur Sorbin, un « petit élu du peuple[1] »

• Cet **artisan, doté d'un certain bon sens**, a été choisi par les hommes pour rédiger la constitution de l'île. Il considère les revendications des femmes comme une « farce » (scène 2, p. 61), qui l'amuse beaucoup.

• Sûr de lui, il prétend mettre « bon ordre » à la « folie » des femmes (scène 12, p. 85). Mais il **se heurte à l'insolence de son épouse**, qui le décrit comme un homme « massif et d'un naturel un peu lourd » (scène 2, p. 60) et qui lui rappelle vigoureusement qu'elle est son égal (scène 14).

• C'est aussi un **personnage attachant**. Lorsqu'il apprend que Mme Sorbin veut le quitter, il montre qu'il tient à elle : il se met à pleurer (scène 16).

***

1. C'est ainsi que Mme Sorbin désigne son mari (scène 2, p. 61).

2 • Timagène et Hermocrate, les nobles

● **Timagène** a un **rôle assez discret**. Il est essentiellement présent aux côtés d'Arthenice, dont il est amoureux. Dans la guerre des sexes, il s'en remet entièrement à Hermocrate, auquel il donne tous les pouvoirs (scène 16).

● **Hermocrate** est en effet beaucoup **plus entreprenant**. Il s'impose facilement face à Timagène, auquel il n'hésite pas à donner des ordres (scène 13). Face aux femmes, il se montre aussi très virulent. Il regarde leurs revendications avec mépris. C'est lui qui a l'idée d'inventer la menace de guerre, qui divise définitivement le camp des femmes.

LINA ET PERSINET, LES JEUNES AMANTS

● Lina et Persinet pourraient faire le lien entre le camp des hommes et celui des femmes. Mais **Lina n'ose pas s'opposer à sa mère**, même si elle ne comprend pas pourquoi celle-ci est revenue sur sa décision d'accepter son mariage avec Persinet. **Sentimentale** et **soumise**, la jeune fille n'a pas l'intention de sacrifier l'amour à des revendications qu'elle ne comprend pas. Pour Mme Sorbin et Arthenice, son attitude est presque considérée comme une trahison.

● Persinet se montre lui aussi assez **faible** et **naïf**. Le sens de l'action des femmes lui échappe et il n'a qu'une seule ambition : attendre que la guerre finisse (scène 4). Il est considéré par Mme Sorbin comme un « domestique » (scène 7, p. 71). Il obéit d'ailleurs aux ordres qui lui sont donnés sans jamais se révolter. Même son langage galant, assez conventionnel, semble celui d'un jeune homme immature.

La Colonie : une leçon politique ?

| FICHE 5 |

Marivaux semble dénoncer l'oppression dont les femmes sont victimes. Les femmes auraient, au même titre que les hommes, le droit d'édicter les lois. Mais les uns et les autres ont des positions excessives, qui font d'eux des personnages comiques, auxquels il est difficile d'accorder du crédit.

UN IDÉAL D'ÉGALITÉ

1 • Les inégalités hommes-femmes

• Arthenice et Mme Sorbin déplorent que, dans l'espace public, seuls les hommes aient la possibilité d'intervenir. Les femmes ne sont **pas considérées comme des citoyennes**[1]. Pour bien fonctionner, une société ne peut toutefois pas reposer sur l'asservissement de la moitié de ses membres. Persinet conseille donc aux hommes de **laisser aux femmes la responsabilité d'écrire les lois avec eux**. Pour lui, si la guerre des sexes se poursuit, « le monde va périr » (scène 12, p. 84).

• Dans l'espace privé, comme l'affirme la cantatille sur laquelle s'ouvre la pièce, les femmes pourraient croire qu'elles disposent de la **maîtrise sur les cœurs**. Elles règnent « dans la bagatelle » (scène 9, p. 75). Dans *Lysistrata* (411 av. J.-C.), la pièce d'Aristophane dont est inspirée *La Colonie*, les femmes l'ont d'ailleurs bien compris, car elles décident de faire la grève du sexe pour arrêter la guerre entre Athènes et Sparte !

• Mais elles sont en fait considérées comme de **simples objets de désir**. Prisonnières du mariage, une fois qu'elles ont séduit, elles sont condamnées aux travaux domestiques (scène 9). Elles n'ont le **droit que de se taire et d'obéir**. M. Sorbin avoue bien volontiers qu'il ne supporte pas les femmes qui « babillent trop » (scène 2, p. 62).

2 • Les inégalités sociales

• Arthenice nous apprend que le peuple, la bourgeoisie et la noblesse ont été réunis sur l'île, après avoir fui la menace de la mort ou de l'esclavage. Tous ont été « obligés, grands et petits, nobles, bourgeois et gens du peuple, de quitter [leur] patrie » (scène 2, p. 62). De ce fait, il n'existe **pas entre eux d'inégalités de fortune**.

• Arthenice considère Mme Sorbin, une femme du peuple, comme sa « compagne » (scène 1, p. 57). Le **projet de constitution d'une société nouvelle** semble s'appuyer sur l'**union de toutes les classes sociales**. Mme Sorbin envisage même de « casser » la « gentilhommerie » (scène 17, p. 97). Mais, choquée par ce projet de suppression de la noblesse, la noble Arthenice renvoie ironiquement Mme Sorbin à son origine sociale plus modeste en l'appelant « Madame l'artisane » (p. 97).

---

1. C'est Olympe de Gouges (1748-1793) qui, dans sa *Déclaration des droits de la femme et de la citoyenne* (1791), va chercher à faire de la femme l'égale des hommes dans les domaines social et politique.

L'ÉGALITÉ, UNE UTOPIE

1 • L'ambition démesurée des femmes

• Après avoir trouvé refuge sur l'île, tous sont confrontés à la nécessité de se doter de lois. Ce temps particulier offre les conditions idéales pour **refonder le rapport entre hommes et femmes, dans l'intérêt de tous**. Mme Sorbin a d'ailleurs conscience d'œuvrer pour l'histoire, et Arthenice lui garantit «un nom immortel» (scène 1, p. 58).

• Mais cette ambition, trop grande, se révèle utopique. **Les femmes échouent** finalement parce qu'elles sont **divisées**. La **différence de conditions sociales** se révèle être un obstacle. Hermocrate suppose qu'«Arthenice, polie comme elle est, doit avoir bien de la peine à s'accommoder de [Mme Sorbin]» (scène 17, p. 96), jugée beaucoup plus vulgaire.

• De plus, l'**habitude** et la **passivité de tous** ont conduit à ne jamais remettre en question les rapports hommes-femmes. Pour Mme Sorbin, l'impertinence se transmet «de père en fils» (scène 3, p. 64). Certaines femmes, comme Lina, se font également les **complices de leur soumission**, par **faiblesse** ou par **manque d'éducation**.

2 • Des personnages comiques

• Les personnages masculins, dans la pièce, font preuve d'une misogynie caricaturale, qui les discrédite. Mais les personnages féminins ne sont pas davantage épargnés par le ridicule. Lorsque Arthenice s'exprime, les autres femmes lui répondent comme en écho. Marivaux fait la **satire de ces femmes** dont la parole relève plus du **bavardage** que de l'expression politique (scène 9).

• La comédie permet en fait de **mettre à distance le politique**. Pour leur assemblée constituante, les habitants de l'île ne parviennent pas à s'entendre. L'orgueil et les préjugés de tous, la violence des rapports de pouvoir, condamnent les rêves d'égalité. Ce sont finalement les hommes, qui font de la politique un art de la manipulation, qui ont le dernier mot, en invoquant la menace d'une guerre. Marivaux invite sans doute le spectateur à se résigner à un ordre instable, hypocrite et injuste, et à en rire.

Écrire contre l'esclavage | THÈME 1 |

Dès la Renaissance, l'Europe organise la traite d'esclaves venus d'Afrique, à destination de l'Amérique. Le commerce triangulaire, condition de développement des plantations, assure la prospérité économique de beaucoup de ports. En 1685, le Code noir *constitue une tentative de réglementation du statut de l'esclave. Mais en prétendant les encadrer, il légitime les châtiments. Au XVIIIᵉ siècle, les écrivains des Lumières, qui placent au premier plan la réflexion sur la liberté et l'égalité, dénoncent la cruauté d'une pratique contraire à la dignité humaine et que la Révolution abolit, avant que Napoléon la rétablisse. Leur combat prépare toutefois l'abolition définitive de l'esclavage, adoptée le 27 avril 1848 sous l'impulsion de Victor Schœlcher.*

DOCUMENT 1

MARIVAUX, *L'Île des esclaves* (1725) ♦ scène 2

Iphicrate et Arlequin ont fait naufrage sur une île. Ils découvrent vite que c'est un lieu où les maîtres et les esclaves doivent échanger leurs rôles. Trivelin, ancien esclave et gouverneur de l'île, précise les règles d'un bouleversement de l'ordre social censé apprendre à Iphicrate le respect pour Arlequin.

« Ne m'interrompez point [...] par la patience. » → p. 14-15, l. 170-203

DOCUMENT 2

MONTESQUIEU, *De l'esprit des lois* (1748) ♦ « De l'esclavage des nègres »

Montesquieu (1689-1755), dans De l'esprit des lois, *recherche l'origine des faits juridiques, politiques et sociaux. Il s'interroge sur l'esclavage. En reprenant avec une féroce ironie les arguments des esclavagistes, il en montre la cruauté et l'absurdité.*

Si j'avais à soutenir le droit que nous avons eu de rendre les nègres[1] esclaves, voici ce que je dirais :

Les peuples d'Europe ayant exterminé ceux de l'Amérique, ils ont dû mettre en esclavage ceux de l'Afrique, pour s'en servir à défricher tant de terres.

5   Le sucre serait trop cher, si l'on ne faisait travailler la plante qui le produit par des esclaves.

Ceux dont il s'agit sont noirs depuis les pieds jusqu'à la tête ; et ils ont le nez si écrasé qu'il est presque impossible de les plaindre.

---

1. À l'époque, le terme n'est pas péjoratif. Il désigne simplement des hommes à la peau noire.

10 On ne peut se mettre dans l'esprit que Dieu, qui est un être très sage, ait mis une âme, surtout une âme bonne, dans un corps tout noir.

Il est si naturel de penser que c'est la couleur qui constitue l'essence de l'humanité, que les peuples d'Asie, qui font des eunuques, privent toujours les noirs du rapport qu'ils ont avec nous d'une manière plus marquée[1].

15 On peut juger de la couleur de la peau par celle des cheveux, qui, chez les Égyptiens, les meilleurs philosophes du monde, était d'une si grande conséquence[2], qu'ils faisaient mourir tous les hommes roux qui leur tombaient entre les mains.

Une preuve que les nègres n'ont pas le sens commun[3], c'est qu'ils font
20 plus de cas[4] d'un collier de verre que de l'or, qui chez des nations policées[5], est d'une si grande conséquence.

Il est impossible que nous supposions que ces gens-là soient des hommes, parce que, si nous les supposions des hommes, on commencerait à croire que nous ne sommes pas nous-mêmes chrétiens.

25 De petits esprits exagèrent trop l'injustice que l'on fait aux Africains : car, si elle était telle qu'ils le disent, ne serait-il pas venu dans la tête des princes d'Europe, qui font entre eux tant de conventions[6] inutiles, d'en faire une générale en faveur de la miséricorde et de la pitié ?

DOCUMENT 3

VOLTAIRE, *Candide* (1759) ♦ chap. XIX

Voltaire (1694-1778) s'interroge sur l'optimisme dans Candide, *l'un de ses contes philosophiques. Comment croire que « tout est pour le mieux dans le meilleur des mondes possibles » lorsque le spectacle du mal est omniprésent ? L'esclavage est l'une des étapes dans la découverte que Candide fait du malheur des hommes.*

---

1. Eunuques : hommes que l'on a privés de leur virilité, employés à garder les femmes, en particulier en Orient. Montesquieu affirme ironiquement, en faisant référence à cette pratique cruelle, que les peuples d'Asie sont encore plus racistes que les Européens.

2. Conséquence : importance.

3. Sens commun : bon sens.

4. Ils font plus de cas : ils accordent plus d'importance.

5. Policées : civilisées.

6. Conventions : accords, traités.

En approchant de la ville[1], [Candide et Cacambo] rencontrèrent un nègre[2] étendu par terre, n'ayant plus que la moitié de son habit, c'est-à-dire d'un caleçon de toile bleue ; il manquait à ce pauvre homme la jambe gauche et la main droite. « Eh mon Dieu ! lui dit Candide en hollandais, que fais-tu là, mon ami, dans
5   l'état horrible où je te vois ? – J'attends mon maître, M. Vanderdendur le fameux négociant, répondit le nègre. – Est-ce M. Vanderdendur, dit Candide, qui t'a traité ainsi ? – Oui, monsieur, dit le nègre, c'est l'usage. On nous donne un caleçon de toile pour tout vêtement deux fois l'année. Quand nous travaillons aux sucreries, et que la meule nous attrape le doigt, on nous coupe la main ; quand
10 nous voulons nous enfuir, on nous coupe la jambe : je me suis trouvé dans les deux cas[3]. C'est à ce prix que vous mangez du sucre en Europe. Cependant, lorsque ma mère me vendit dix écus patagons[4] sur la côte de Guinée[5], elle me disait : "Mon cher enfant, bénis nos fétiches[6], adore-les toujours, ils te feront vivre heureux ; tu as l'honneur d'être esclave de nos seigneurs les blancs, et tu fais par
15 là la fortune de ton père et de ta mère." Hélas ! je ne sais pas si j'ai fait leur fortune, mais ils n'ont pas fait la mienne. Les chiens, les singes et les perroquets sont mille fois moins malheureux que nous. Les fétiches hollandais qui m'ont converti me disent tous les dimanches que nous sommes tous enfants d'Adam, blancs et noirs. Je ne suis pas généalogiste ; mais si ces prêcheurs disent vrai, nous sommes tous
20 cousins issus de germains. Or vous m'avouerez qu'on ne peut pas en user avec ses parents d'une manière plus horrible. »

DOCUMENT 4

PROSPER MÉRIMÉE, *Tamango* (1829)

Tamango, personnage éponyme de la nouvelle, est un guerrier sénégalais qui livre hommes et femmes à l'esclavage. C'est l'occasion, pour Prosper Mérimée (1803-1870), de dénoncer l'esclavage, qui réduit les individus à l'état de « marchandises ».

[...] on s'assit à l'ombre en face des bouteilles d'eau-de-vie, et Tamango donna le signal de faire venir les esclaves qu'il avait à vendre.

1. Candide et Cacambo approchent de Surinam, ville de Guyane hollandaise, au nord du Brésil.
2. À l'époque, le terme n'est pas péjoratif. Il désigne simplement un homme à la peau noire.
3. Le *Code noir* prévoit qu'un esclave qui s'enfuit, en situation de récidive, doit avoir la jambe coupée.
4. Écus patagons : monnaie.
5. Guinée : pays d'Afrique de l'Ouest.
6. Fétiches : objets censés avoir une valeur sacrée.

Ils parurent sur une longue file, le corps courbé par la fatigue et la frayeur, chacun ayant le cou pris dans une fourche longue de plus de six
5   pieds[1], dont les deux pointes étaient réunies vers la nuque par une barre de bois. Quand il faut se mettre en marche, un des conducteurs prend sur son épaule le manche de la fourche du premier esclave ; celui-ci se charge de la fourche de l'homme qui le suit immédiatement ; le second porte la fourche du troisième esclave, et ainsi des autres. S'agit-il de faire halte, le chef de file
10   enfonce en terre le bout pointu du manche de sa fourche, et toute la colonne s'arrête. On juge facilement qu'il ne faut pas penser à s'échapper à la course, quand on porte attaché au cou un gros bâton de six pieds de longueur.

À chaque esclave mâle ou femelle qui passait devant lui, le capitaine
15   haussait les épaules, trouvait les hommes chétifs[2], les femmes trop vieilles ou trop jeunes, et se plaignait de l'abâtardissement[3] de la race noire.

« Tout dégénère, disait-il ; autrefois c'était bien différent. Les femmes avaient cinq pieds six pouces[4] de haut, et quatre hommes auraient tourné seuls le cabestan[5] d'une frégate, pour lever la maîtresse ancre. »
20   Cependant, tout en critiquant, il faisait un premier choix des Noirs les plus robustes et les plus beaux. Ceux-là, il pouvait les payer au prix ordinaire ; mais, pour le reste, il demandait une forte diminution. Tamango, de son côté, défendait ses intérêts, vantait sa marchandise, parlait de la rareté des hommes et des périls de la traite. Il conclut en demandant un
25   prix, je ne sais lequel, pour les esclaves que le capitaine blanc voulait charger à son bord.

---

1. Six pieds : environ 1,80 m. (Le pied est une unité de mesure de longueur équivalant à environ 30 cm.)

2. Chétifs : d'une constitution fragile, frêles.

3. Abâtardissement : dégénérescence, dégradation.

4. Six pouces : environ 15 cm. (Le pouce est une unité de mesure de longueur équivalant à environ 2,5 cm.)

5. Cabestan : treuil utilisé pour remonter l'ancre ou enrouler des cordages.

DOCUMENT 5

ALPHONSE DE LAMARTINE, *Toussaint Louverture* (1850)

Toussaint Louverture (1743-1803) est l'une des figures majeures de la lutte contre le colonialisme et l'esclavage. Dans son drame, Lamartine (1790-1869) lui rend hommage. L'extrait est la scène d'exposition.

ACTE 1

Aux Gonaïves, près du Port-au-Prince[1]. On voit une habitation en ruine sur les flancs élevés d'un morne[2] qui domine une rade[3]. Non loin de là un camp de nègres[4] insurgés. Des ordonnances[5] vont et viennent. Une petite lumière brille seule à travers la fenêtre haute d'une tour où travaille Toussaint Louverture. La mer, éclairée par la lune, se déroule à l'horizon. Il est presque nuit.

Scène 1

ADRIENNE, LUCIE, SAMUEL, ANNAH, NINA,
BLANCS, MULÂTRES[6], NÈGRES, NÉGRESSES.

À droite, aux sons du fifre, du tambourin et des castagnettes espagnoles, de jeunes négresses et de jeunes mulâtresses groupées çà et là sur la scène sont occupées à effeuiller et à rompre des cannes à sucre. À gauche, Samuel, instituteur des noirs, assis sur les marches d'une fontaine, entouré d'un groupe d'enfants mulâtres, blancs, noirs, de douze à quinze ans, leur fait épeler à voix basse un livre sur ses genoux, du bout de son doigt. Les enfants paraissent charmés et attentifs.

ANNAH, s'approchant de Samuel.
Pourquoi donc, Samuel, au milieu de nos fêtes,
De ces pauvres enfants courbant ainsi les têtes,

1. **Port-au-Prince** est la capitale d'Haïti.
2. **Morne** : nom donné, dans les anciennes colonies françaises, à une petite montagne.
3. **Rade** : bassin naturel, avec une ouverture vers la mer.
4. **Nègres** : esclaves noirs. Le terme n'est pas péjoratif à l'époque.
5. **Ordonnances** : soldats.
6. **Mulâtres** : métis.

De la lèvre et du doigt leur épeler tout bas
Ces grimoires[1] de mots qu'ils ne comprennent pas ?
5 De quels savants ennuis charges-tu leur mémoire ?
Que leur enseignes-tu ?

SAMUEL
La Marseillaise noire !

ANNAH
La Marseillaise blanche a guidé les Français
Aux combats ; mais les noirs, grâce à Dieu, sont en paix !

SAMUEL
Aussi du chant sacré le noir changea la corde,
10 Leur chant était : Victoire ! et le nôtre est : Concorde[2] !
Il jette au cœur des noirs l'hymne d'humanité,
Et des frissons d'amour et de fraternité.
Le sang a-t-il donc seul une voix sur la terre ?
Écoute ! et vous, enfants, retenez !

DOCUMENT 6

FRANÇOIS-AUGUSTE BRIARD, *L'Abolition de l'esclavage dans les colonies françaises*, 27 avril 1848 (1849) → 2e de couverture

Un représentant de la Seconde République donne lecture du décret d'abolition de l'esclavage à la population. Au centre du tableau, d'anciens esclaves se réjouissent de leur liberté. L'un d'entre eux brandit ses chaînes, enfin rompues.

1. **Grimoires** : ouvrages incompréhensibles.
2. **Concorde** : paix.

Espaces théâtraux | THÈME 2 |

Au XVIIe siècle, les règles du classicisme exigent l'unité de l'espace théâtral. La pièce est donc censée se dérouler en un seul lieu. Les dramaturges répondent à cette contrainte en proposant de nombreux récits : en racontant ce qui s'est passé hors scène, les messagers donnent une certaine profondeur à l'espace théâtral classique. Au XVIIIe siècle, cette règle s'assouplit. Mais ce n'est qu'avec le drame romantique qu'elle est vraiment remise en question. L'espace théâtral accède pleinement à sa dimension symbolique : au-delà de toute ambition réaliste, il est un élément essentiel du sens que l'auteur et le metteur en scène entendent donner à la pièce.

DOCUMENT 7

ARISTOPHANE, *La Paix* (421 av. J.-C.), trad. M.-J. Alfonsi © GF-Flammarion

Aristophane (vers 450-386 av. J.-C) met en scène Trygée, un Athénien, au royaume des dieux, dans un décor forcément éloigné de tout réalisme. Hermès, messager des dieux, lui apprend que Polémos, dont le nom signifie « guerre » en grec, a enfermé la Guerre et menace les hommes.

> HERMÈS. – Aussi je ne sais si jamais vous reverrez la Paix.
>
> TRYGÉE. – Où donc est-elle allée ?
>
> HERMÈS. – La Guerre l'a plongée dans une caverne profonde.
>
> TRYGÉE. – Laquelle ?
>
> 5 HERMÈS. – Là, en bas. Tu vois que de pierres elle a entassées, afin que vous ne la repreniez jamais.
>
> TRYGÉE. – Dis-moi, que machine-t-elle de faire contre nous ?
>
> HERMÈS. – Je ne sais, sauf une chose, c'est qu'elle a apporté hier soir un mortier[1] d'une grandeur énorme.
>
> 10 TRYGÉE. – Et que veut-elle faire de ce mortier ?
>
> HERMÈS. – Elle veut y piler les villes. Mais je m'en vais, car, si je ne m'abuse, elle est sur le point de sortir : elle fait un vacarme là-dedans !
>
> TRYGÉE. – Malheur à moi ! Je me sauve; car il me semble entendre moi-même le fracas du mortier belliqueux[2].
>
> 15 LA GUERRE. *Elle arrive tenant un mortier.* – Ah! mortels, mortels, mortels, infortunés, comme vous allez craquer des mâchoires !

~~~~~~~~~~

1. Mortier : récipient dans lequel on broie diverses substances avec un pilon.

2. Belliqueux : destiné à faire la guerre.

TRYGÉE. – Seigneur Apollon[1], quelle largeur de mortier ! Que de mal dans le seul regard de la Guerre ! Est-ce donc là ce monstre que nous fuyons, cruel, redoutable, solide sur ses jambes ?

20 LA GUERRE. – Ah! Prasie[2], trois fois, cinq fois, mille fois malheureuse, la voilà perdue !

TRYGÉE. – Cela, citoyens, n'est pas encore notre affaire : le coup porte sur la Laconie.

LA GUERRE. – Ô Mégare, Mégare[3], comme tu vas être absolument broyée 25 et mise en hachis.

DOCUMENT 8

PIERRE CORNEILLE, *Le Cid* (1636) ♦ acte IV, scène 3

Dans Le Cid, *une tragicomédie, Corneille (1606-1684) met en scène Rodrigue, qui, après avoir réussi à venger son père en tuant le père de Chimène, celle qu'il aime, devient « Le Cid », le héros vainqueur des Maures. Au roi il fait le récit de son exploit.*

DON RODRIGUE
Sous moi donc cette troupe s'avance,
Et porte sur le front une mâle assurance.
Nous partîmes cinq cents ; mais, par un prompt renfort,
Nous nous vîmes trois mille en arrivant au port,
5 Tant, à nous voir marcher avec un tel visage,
Les plus épouvantés reprenaient de courage !
J'en cache les deux tiers, aussitôt qu'arrivés,
Dans le fond des vaisseaux qui lors[4] furent trouvés ;
Le reste, dont le nombre augmentait à toute heure,
10 Brûlant d'impatience, autour de moi demeure,
Se couche contre terre, et, sans faire aucun bruit,
Passe une bonne part d'une si belle nuit.
Par mon commandement la garde en fait de même,
Et se tenant cachée, aide à mon stratagème ;

---

1. Apollon : un des principaux dieux de la mythologie grecque.

2. Prasie : port de Laconie (région de Sparte, cité opposée à Athènes dans la guerre du Péloponnèse).

3. Mégare : ville grecque ennemie d'Athènes dans la guerre du Péloponnèse.

4. Lors : à ce moment-là.

15 Et je feins¹ hardiment d'avoir reçu de vous
L'ordre qu'on me voit suivre et que je donne à tous.
Cette obscure clarté qui tombe des étoiles
Enfin avec le flux² nous fit voir trente voiles ;
L'onde s'enfle dessous, et d'un commun effort
20 Les Maures³ et la mer montent jusques au port.
On les laisse passer ; tout leur paraît tranquille ;
Point de soldats au port, point aux murs de la ville.
Notre profond silence abusant⁴ leurs esprits,
Ils n'osent plus douter de nous avoir surpris ;
25 Ils abordent sans peur, ils ancrent, ils descendent,
Et courent se livrer aux mains qui les attendent.
Nous nous levons alors, et tous en même temps
Poussons jusques au ciel mille cris éclatants ;
Les nôtres, à ces cris, de nos vaisseaux répondent ;
30 Ils paraissent armés, les Maures se confondent⁵,
L'épouvante les prend à demi descendus ;
Avant que de combattre ils s'estiment perdus.
Ils couraient au pillage, et rencontrent la guerre ;
Nous les pressons⁶ sur l'eau, nous les pressons sur terre,
35 Et nous faisons courir des ruisseaux de leur sang,
Avant qu'aucun résiste ou reprenne son rang.

DOCUMENT 9

MARIVAUX, *L'Île des esclaves* (1725) ♦ scène 1

La didascalie initiale inscrit la pièce dans un lieu indéterminé, qui doit poser de nombreux problèmes aux metteurs en scène. Comment représenter l'utopie ? Cette île, sur laquelle Arlequin et Iphicrate ont fait naufrage, est-elle paradisiaque ou inquiétante ?

« *La scène est dans l'île des Esclaves.* [...] *cela est juste.* » → p. 6-8, l. 1-41

---

1. Feins : fais mine.

2. Flux : marée.

3. Maures (ou Mores) : musulmans d'Espagne.

4. Abusant : trompant.

5. Se confondent : se troublent, sont surpris au point de ne plus pouvoir agir.

6. Pressons : poursuivons, attaquons.

DOCUMENT 10

Photographie de la mise en scène de L'Île des esclaves par Paulo Correia (2011)
→ 3e de couverture

Paulo Correia propose sa vision, très personnelle, de l'île de Marivaux. Il utilise les ressources de la technologie moderne pour figurer un espace oppressant, dépouillé et instable, dans lequel les personnages semblent peiner à trouver leur place.

DOCUMENT 11

VICTOR HUGO, Préface de *Cromwell* (1827)

Dans la préface de Cromwell, *Hugo (1802-1885) définit les règles du drame. Il remet en question les règles de la dramaturgie classique et, en particulier, la règle d'unité de temps et de lieu, au nom d'une plus grande vraisemblance. Pour lui, l'espace théâtral est un « personnage muet », indispensable à l'action.*

Ce qu'il y a d'étrange, c'est que les routiniers prétendent appuyer leur règle des deux unités sur la vraisemblance, tandis que c'est précisément le réel qui la tue. Quoi de plus invraisemblable et de plus absurde en effet que ce vestibule[1], ce péristyle[2], cette antichambre[3], lieu banal où nos tragédies ont la complaisance de venir se
5 dérouler, où arrivent, on ne sait comment, les conspirateurs pour déclamer contre le tyran, le tyran pour déclamer contre les conspirateurs, chacun à leur tour [...].

Il résulte de là que tout ce qui est trop caractéristique, trop intime, trop local, pour se passer dans l'antichambre ou dans le carrefour, c'est-à-dire tout le drame, se passe dans la coulisse. Nous ne voyons en quelque sorte sur le
10 théâtre que les coudes de l'action ; ses mains sont ailleurs. Au lieu de scènes, nous avons des récits ; au lieu de tableaux, des descriptions. [...]

On commence à comprendre de nos jours que la localité[4] exacte est un des premiers éléments de la réalité. Les personnages parlants ou agissants ne sont pas les seuls qui gravent dans l'esprit du spectateur la fidèle empreinte des faits.
15 Le lieu où telle catastrophe s'est passée en devient un témoin terrible et inséparable ; et l'absence de cette sorte de personnage muet décompléterait[5] dans le drame les plus grandes scènes de l'histoire.

~~~~~~

1. Vestibule : pièce d'entrée d'une maison.

2. Péristyle : colonnade qui entoure un édifice ou une cour.

3. Antichambre : pièce à l'entrée d'un appartement.

4. Localité : lieu.

5. Décompléterait : rendrait incomplètes.

DOCUMENT 12

PAUL CLAUDEL, L'Échange (1951) © Mercure de France

Paul Claudel (1868-1955) propose en 1951 une deuxième version de sa pièce, dont la première version date de 1894. Louis a été engagé par Thomas, un riche homme d'affaires, pour garder sa propriété. Dans l'extrait, Lechy Elbernon, une actrice, réfléchit avec Thomas, Louis et Marthe, son épouse, sur les caractéristiques de l'espace théâtral.

LECHY ELBERNON. – Moi je connais le monde. J'ai été partout. D'un côté et de l'autre du rideau. Tout le temps d'un côté et de l'autre du rideau. Je suis actrice, vous savez. Je joue sur le théâtre. Le théâtre. Vous ne savez pas ce que c'est ?

MARTHE. – Je ne sais pas.

5 LECHY ELBERNON *(Elle prend position et en avant la musique !).* – Il y a la scène et la salle. Tout étant clos, les gens viennent là le soir et ils sont assis par rangées les uns derrière les autres, regardant. Regardant.

MARTHE. – Quoi ? Qu'est-ce qu'ils regardent puisque tout est fermé ?

LECHY ELBERNON. – Ils regardent le rideau de la scène. Et ce qu'il y a

10 derrière quand il est levé. Attention ! attention ! il va arriver quelque chose ! Quelque chose de pas vrai comme si c'était vrai !

MARTHE. – Mais puisque ce n'est pas vrai !

LECHY ELBERNON. – Le vrai ! Le vrai, tout le monde sent bien que c'est un rideau ! Tout le monde sent bien qu'il y a quelque chose derrière.

15 THOMAS. – Un autre rideau ?

LECHY ELBERNON. – Une patience ! Ce que nous appelons une patience ! Quelque chose qui fait prendre patience ! Un rideau qui bouge ! Dans votre vie à vous, rien n'arrive. Rien qui aille d'un bout à l'autre. Rien ne commence, rien ne finit. Ça vaut la peine d'aller au théâtre pour voir

20 quelque chose qui arrive. Vous entendez ! Qui arrive pour de bon ! Qui commence et qui finisse ! *(À Louis Laine.)* Qu'est-ce que tu dis du théâtre, bébé ?

LOUIS LAINE. – C'est l'endroit qui est nulle part.

Argumenter pour libérer ? | SUJET D'ÉCRIT 1 |

Objets d'étude : Genres et formes de l'argumentation : XVIIe et XVIIIe siècles (2nde)

La question de l'Homme dans les genres de l'argumentation du XVIe siècle à nos jours (1re)

DOCUMENTS *(Les documents figurent dans l'ouvrage, p. 145-146.)*

- **MARIVAUX, *L'Île des esclaves*** (1725) ♦ DOC. 1, p. 145
- **MONTESQUIEU, *De l'esprit des lois*** (1748) ♦ DOC. 2, p. 145
- **VOLTAIRE, *Candide*** (1759) ♦ DOC. 3, p. 146

QUESTIONS SUR LE CORPUS

1 Montrez que les écrivains, dans les textes du corpus, dénoncent l'injustice et l'inhumanité de l'esclavage.

2 Quelle place les écrivains laissent-ils à la parole des maîtres ?

TRAVAUX D'ÉCRITURE

Commentaire (séries générales)

Vous ferez le commentaire composé du texte de Marivaux (doc. 1, p. 145).

Commentaire (séries technologiques)

Vous ferez le commentaire composé du texte de Marivaux (doc. 1, p. 145), en vous aidant des pistes de lecture suivantes.

– Montrez comment Trivelin explique les règles de l'île et informe à la fois les personnages et les spectateurs de la situation.

– Quelles sont les fonctions de ces règles ? Doivent-elles vraiment rétablir l'égalité entre individus ?

Dissertation

La littérature argumentative peut-elle contribuer à changer le monde ?

Vous appuierez votre réflexion sur une analyse des textes du corpus et sur votre culture personnelle.

Écriture d'invention

À la manière de Montesquieu (doc. 2, p. 145), vous dénoncerez l'une des formes de l'esclavage moderne (traite des êtres humains, travail forcé, exploitation des enfants...). Vous veillerez à utiliser le registre ironique.

Espaces représentés, | SUJET D'ÉCRIT 2 |
espace de la représentation

Objet d'étude : Le théâtre : texte et représentation

DOCUMENTS *(Les documents figurent dans l'ouvrage, p. 152-154.)*

- **CORNEILLE**, *Le Cid* (1636) ♦ DOC. 8, p. 152
- **MARIVAUX**, *L'Île des esclaves* (1725) ♦ DOC. 9, p. 153
- **HUGO**, Préface de *Cromwell* (1827) ♦ DOC. 11, p. 154

QUESTIONS SUR LE CORPUS

1 Quelles indications de lieu les dramaturges donnent-ils au lecteur et au metteur en scène (docs 8 et 9) ?

2 L'espace théâtral, pour les dramaturges, est-il un simple décor ou constitue-t-il un élément essentiel à l'action et au sens de la pièce (docs 8, 9 et 11) ? Justifiez votre réponse.

TRAVAUX D'ÉCRITURE

Commentaire (séries générales)

Vous ferez le commentaire composé du texte de Marivaux (doc. 9, p. 153).

Commentaire (séries technologiques)

Vous ferez le commentaire composé du texte de Marivaux (doc. 9, p. 153), en vous aidant des pistes de lecture suivantes.

– Montrez que l'extrait répond aux exigences traditionnelles d'une scène d'exposition.

– Analysez le renversement de situation entre les personnages et montrez qu'il participe au comique de l'extrait.

Dissertation

Le théâtre doit-il avoir une ambition réaliste ?

Vous répondrez à cette question en vous appuyant sur une analyse des textes du corpus et sur votre culture personnelle.

Écriture d'invention

Vous devez mettre en scène *L'Île des esclaves* de Marivaux pour le théâtre de votre ville. Quel décor envisagez-vous pour cette mise en scène ? Vous écrivez à vos acteurs une note d'intention destinée à préciser vos choix et votre conception de l'espace théâtral.

Une scène de théâtre dans le théâtre | SUJET D'ORAL 1 |

• **MARIVAUX**, *L'Île des esclaves* (1725)

« Arlequin, *à Iphicrate*. – Qu'on se retire à dix pas. [...] mais nous sommes plus sages. » → p. 32-33, l. 601-636

QUESTION

Comment Arlequin et Cléanthis parodient-ils le discours galant de leurs maîtres ?

Pour vous aider à répondre

a Montrez qu'Arlequin et Cléanthis respectent dans leur discours les codes traditionnels de la galanterie.
b En quoi leur échange est-il comique ?
c Que dénonce Marivaux à travers cette scène de parodie ?

COMME À L'ENTRETIEN

1 À partir de votre lecture de la pièce, expliquez comment les relations entre maîtres et valets vont évoluer.

2 Le renversement des rôles entre maîtres et valets permet-il, selon vous, de penser que la pièce a une dimension révolutionnaire ?

3 Que savez-vous du personnage d'Arlequin au théâtre (son origine, son habit…)? Quelle est son importance dans le théâtre de Marivaux?

4 Arlequin est un valet bavard et insolent. Pouvez-vous citer d'autres valets qui tiennent tête à leur maître, dans le théâtre classique (xviie-xviiie siècles)?

5 Qu'est-ce qu'une utopie? Connaissez-vous d'autres utopies dans la littérature du xviiie siècle que *L'Île des esclaves*? Pourquoi l'utopie est-elle assez fréquente à l'époque des Lumières?

La leçon de la pièce | SUJET D'ORAL 2 |

- **MARIVAUX**, *L'Île des esclaves* (1725), scène 11 en entier
→ p. 46-47, l. 936-961

QUESTION

Quelles leçons le lecteur est-il invité à tirer de la pièce, dans ce dénouement?

Pour vous aider à répondre
a Montrez que la leçon du dénouement est essentiellement morale.
b Quelle est la leçon politique de la pièce? Cette leçon est-elle vraiment subversive, comme pouvait le laisser présager l'inversion des rôles entre maîtres et valets?
c Dans quelle mesure Marivaux, dans ce dénouement, apparaît-il comme un homme des Lumières?

COMME À L'ENTRETIEN

1 Quel rôle Trivelin a-t-il joué dans la pièce? A-t-il évolué des premières scènes au dénouement?

2 Pourquoi peut-on considérer ce personnage comme un metteur en scène? Montrez que la pièce repose sur le procédé du «théâtre dans le théâtre».

3 Cléanthis finit certes par «baiser la main» de sa maîtresse, mais elle avait beaucoup de reproches à lui faire, dans les scènes précédentes. Lesquels?

4 Ce dénouement est heureux. Pensez-vous toutefois que la pièce suscite seulement le rire?

5 Marivaux a-t-il écrit d'autres pièces sur la «différence des conditions»? Pourquoi cette question revêt-elle une importance particulière au xviiie siècle?

L'image contre l'esclavage | LECTURE 1 |

DOCUMENT

• FRANÇOIS-AUGUSTE BRIARD, *L'Abolition de l'esclavage dans les colonies françaises*, 27 avril 1848 (1849) → doc. 6, p. 150 et 2ᵉ de couverture

QUESTIONS

1 Analysez les tenues vestimentaires des hommes et des femmes représentés. La fin de l'esclavage signifie-t-elle l'égalité entre les esclaves et leurs anciens maîtres ?

2 Comment le peintre rend-il hommage à la République française, dans ce tableau ?

3 Montrez que, pour le peintre, l'abolition de l'esclavage doit permettre la réconciliation entre les anciens esclaves et les anciens maîtres.

Représenter l'utopie aujourd'hui | LECTURE 2 |

DOCUMENT

• **Photographie de la mise en scène de *L'Île des esclaves* par Paulo Correia** (2011) → doc. 10, p. 154 et 3ᵉ de couverture

QUESTIONS

1 Pourquoi le metteur en scène choisit-il de figurer l'espace par des formes géométriques ? Comment peut-on interpréter la disposition de ces formes sur la scène ?

2 Quel est le sens, dans cette mise en scène, de l'utilisation des images virtuelles ? Que représentent ces images, d'après vous ?

3 Le monde de Marivaux, ainsi représenté, vous semble-t-il paradisiaque ou inquiétant ? Justifiez votre réponse.

Hatier s'engage pour l'environnement en réduisant l'empreinte carbone de ses livres. Celle de cet exemplaire est de : 400 g éq. CO₂ Rendez-vous sur www.hatier-durable.fr

PAPIER À BASE DE FIBRES CERTIFIÉES

Achevé d'Imprimer par Grafica Veneta à Trebaseleghe - Italie
Dépôt légal n° 97847-0/02 - Avril 2015